Una Pérdida PRECIOSA

Superando el Dolor del Aborto Espontáneo y la Muerte Infantil

Una Pérdida PRECIOSA

Superando el Dolor del Aborto Espontáneo y la Muerte Infantil

Sharon Fox

Publicado por Redemption Press, PO Box 427, Enumclaw, WA 98022
Llamada Gratuita (844) 2REDEEM (273-3336)

Redemption Press tiene el agrado de presentar este título junto con el autor. Los puntos de vista expresados o implícitos de esta obra son aquellos del autor. Redemption Press provee su sello impreso que representa excelencia en diseño, contenido creativo y producción de alta calidad.

ISBN 13: 978-1-68314-481-6 (Impreso)
          978-1-68314-482-3 (ePub)
          978-1-68314-483-0 (Mobi)

Biblioteca del Congreso Número de Tarjeta en Catálogo: 2017960535

~

Una Pérdida Preciosa fue escrito para ofrecerles a los que han experimentado un aborto espontáneo, Síndrome de Muerte Infantil Súbita (SMIS)/ muerte infantil, o un nacido muerto, una ventana para entender el proceso del duelo. Presenta el modelo bíblico del duelo y las emociones que se pueden esperar después de una pérdida, e incluye los pasos para llegar al contentamiento. Mi agradecimiento al Centro de Embarazo LifeTalk en Frisco, Texas por identificar la necesidad de material cristiano que específicamente aborde la pérdida de un bebé debido al aborto involuntario.

Es mi oración que al leer este libro, experimentes sanidad en tu alma herida y encuentres al Espíritu Santo, tu divino Consolador, trabajando en tu vida.

Ilustraciones por Katie Arani

Contenido

Reconocimientos ix

Cómo Usar Este Libro xi

Capítulo 1— Qué Se Puede Esperar. 1

Capítulo 2—Tu Alma Herida. 7

Capítulo 3—El Modelo de Dios para el Duelo 11

Capítulo 4—¿Qué Hacer Ahora? 17

Capítulo 5—¿Dónde Está la Esperanza? 37

Capítulo 6—¿Cómo Encontrar la Felicidad? 45

Capítulo 7—Intimidad Después del Aborto, SMIS/Muerte Infantil o Mortinato. 49

Capítulo 8—Qué Decir a Alguien que Está de Duelo... 53

Capítulo 9—Aferrándote a la Esperanza. 55

Capítulo 10—La Cama 57

Acerca de la Autora. 61

Reconocimientos

❧

UN ENORME AGRADECIMIENTO a aquellos que me apoyaron con paciencia, leyendo y corrigiendo el texto: mis hermanas, Marilyn Muecke y Carolyn Pittenger, miembros de la Junta Directiva de Brave Penny, Paul Jones, H. B. Bartz, amigas Deborah Phillips, Toni Salmon, Diane Sanderson y Mistie Coblentz del Centro de Embarazo LifeTalk. También quiero agradecer a los demás miembros de la Junta Directiva de Brave Penny: Denise Price, Patricia Prior (que me animó a incluir material sobre SMIS y Muerte Infantil), y Heather Finney Rodrigues por sus fieles oraciones durante el proceso de escribir. Muchas gracias a las "Hermanas Weaver": Rev. Toni Brown, Debbie Finn, Gail Bernard, Ginny Lydick, y Patty Woodmansee por caminar conmigo durante años como hermanas en Cristo.

No hay palabras adecuadas para agradecerle a mi esposo Jim, por apoyarme paciente y generosamente mientras escribía en obediencia al llamado de Dios para servir a los que sufren. Tu hiciste posible este libro. Te amo por amarme. Doy gracias a Dios cada día por ti. ¡A Dios sea la Gloria!

Cómo Usar Este Libro

∽

LA MAYORÍA DE los materiales de este libro son para aquellos lectores que han experimentado alguna clase de duelo. El libro aborda los conceptos del Alma Herida y del Modelo de Dios para el Dolor que tienen aplicación universal para todo tipo de pérdida. Estos dos conceptos explican el camino a la recuperación después de una pérdida profunda. Las pérdidas incluyen la muerte de un padre, cónyuge, o hijo adulto, o la pérdida relacionada al divorcio, trabajo, mascotas y / o de la salud, los cuales provocan profundos sentimientos de dolor. La pérdida cuando se experimenta un aborto espontáneo, una muerte SMIS, muerte infantil, o nacido muerto se distingue de otros tipos de pérdidas debido a un elemento de pérdida adicional. La muerte de un hijo también es perder el sueño que se tenía para la vida de ese niño. Todos los padres amorosos tienen la esperanza de que su hijo experimente amor, alegría y éxito dentro de lo que habría sido una vida normal. Cuando un bebé muere, muere ese sueño. Dónde sea apropiado, hay anotaciones de tipos específicos de pérdida para ayudar en la lectura. Este libro es fácilmente adaptable a un lector que está ansioso por los aspectos más destacados que hacen que el libro sea rápidamente impactante. Puedes omitir las partes que no se aplican a ti, como Ponerle Nombre al Bebé si tu hijo murió de SMIS/Muerte Infantil o nació muerto. Déjame dar un paso audaz en sugerir al lector que lea las siguientes secciones si primero quiere conocer los detalles de la recuperación del dolor:

Capítulo 2 – Tu Alma Herida
Capítulo 3 – El Modelo de Dios para el Duelo
Encontrando Esperanza en la Fe Cristiana en la página X
Síndrome de Brazos Vacíos en la página X
Sombra de Tristeza en la página X
Planea Estar Contenta de Nuevo en la página X
Capítulo 10 – La Cama

Que Dios te bendiga al leer y aprender sobre el duelo.

CAPÍTULO 1

Qué se Puede Esperar

❧

¿Qué Pueden Esperar la Madre y el Padre al Sufrir la Pérdida de Su Niño?

Tu camino de dolor será único. Tu pareja y otros miembros de tu familia y amigos que están involucrados de cerca tendrán una experiencia totalmente diferente. Ni tu reacción ni tus sentimientos ni los de ellos son correctos o incorrectos. Son diferentes. Es esencial recordar que los hombres y las mujeres sufren de manera diferente. La sociedad y la cultura establecen las reglas del duelo tanto para el hombre como para la mujer, dándole o no permiso para sus respuestas emocionales. Ten cuidado de no aferrarte a una expectativa de comportamiento para tu pareja. Su respuesta probablemente no recorrerá el mismo paso de tiempo ni las emociones como los tuyos. Dios te diseñó para ser único y diferente de cualquier otro ser humano, y tu experiencia de duelo será única y no debe ser comparada a la reacción de los demás.

La Pérdida de La Madre

Para la madre, el asalto emocional que se combina con el impacto físico del embarazo o del aborto espontáneo o de lidiar con un niño gravemente enfermo, crea estrés que no tiene palabras para expresarlo. ¿Y, qué haces ahora? ¿Adónde vas después de este oscuro lugar emocional? ¿Cómo contiendes con esto en silencio? ¿Debes hablar de ello? ¿Cómo hablas de esto? Las respuestas confusas y la preocupación chocan con la realidad. La tristeza y la confusión son el denso aire que rodea un aborto espontáneo o una muerte infantil.

La pérdida para la madre es una experiencia muy íntima y personal. A menudo tanto los amigos cercanos como los miembros de la familia no están allí ni pueden ofrecer el apoyo necesario porque (en el caso de un aborto espontáneo e involuntario) el evento ocurrió tan temprano en el embarazo. Cuando el SMIS, muerte infantil o un mortinato ocurre, la familia y los amigos cercanos también sufren. Pueden ser incapaces de dar atención a los padres cuando les es más necesario su apoyo. A través del milagro de la concepción, la unión de dos células forma un bebé. Se crea una expectativa de un bebé, un niño, un adolescente, y luego la adultez como secuencia natural del orden de la vida. Cuando ese orden se interrumpe, la pérdida hace que la madre sufra en varios niveles.

Primero, la pérdida física del bebé puede crear la necesidad de una intervención quirúrgica para resolver las secuelas del aborto involuntario. La recuperación de la cirugía y la interrupción del trabajo o de las rutinas diarias son inesperadamente una realidad inevitable. La claridad de mente y la capacidad de seguir las tareas habituales se vuelven desconcertantes y debilitantes.

Además, si hay otros niños en el hogar, estos sienten que las cosas no son normales. Los niños pueden reaccionar ante cambios en la rutina mostrando tristeza o comportándose mal. Aunque no saben nada del aborto involuntario y lo que eso significa, están conscientes de que su madre no está feliz. Si sabían de un nuevo hermanito y lo han anticipado pero ocurrió un mortinato, igual sufren la pérdida de padres felices. Si son hermanos de un niño que muere de SMIS, o muerte infantil, la muerte es real y debe tratarse con ternura y amor.

Finalmente, la pérdida de los sueños para la vida del niño añade al sufrimiento de los padres. El impacto emocional de desilusión es a menudo una carga tan intensa que la necesidad de huir de las actividades de la vida y sus interacciones es aguda.

La madre está sujeta a una reacción normal donde excluye a otros de su círculo de comunicación. El esposo, los niños, la familia y los amigos cercanos pueden encontrarse "exiliados", no por intención, sino por la experiencia de la pérdida, lo que deja a la madre sin energía ni optimismo para aplicarla en otras relaciones.

Es fundamental prestarle especial atención a la comunicación sincera con el padre, con otros niños y con la familia extendida. El aislamiento emocional de la madre puede dañarla a ella y sus relaciones familiares si no se atiende cuidadosamente. Las madres deben tratar de usar la poca energía que tienen para mantener las líneas de comunicación abiertas.

Los abuelos también deben ser incluidos en el círculo de la pérdida. Su pérdida puede incluir la tristeza que sienten no sólo de sí mismos, sino por ver la tristeza de su hijo o hija con su pareja porque están muy heridos por esta pérdida. Los abuelos sufren tan profundamente como los padres en algunos casos ya que ven una poderosa y personal pérdida generacional.

La Pérdida del Padre

Para el padre que está activamente involucrado en el embarazo y /o en la vida del niño, los sentimientos de desilusión y tristeza verdadera son nuevos y probablemente tan inesperados que apenas puede funcionar. No sólo experimenta la pérdida del bebé sino también el reconocer que la madre del bebé está luchando física y emocionalmente. Esta doble preocupación también le crea a él un sentido adicional de desamparo y frustración. Esa combinación inesperada de circunstancias y emociones pueden crear dificultades en la relación entre la pareja. Una atención cuidadosa a la relación después del aborto involuntario o después de una muerte es importante tanto para la madre como para el padre. Es importante que los dos tengan paciencia el uno con el otro, ya que no hay libros de reglas ni tiempos determinados que se apliquen al proceso del duelo.

El papá a menudo se encuentra en una situación de "inversión de roles" lo cual es extraño en la relación normal con su esposa. Las mujeres suelen ser las que cuidan a la familia. Son las encargadas de la lavandería, la preparación de la comida, y si hay otros niños en la familia, esas tareas pueden incluir la organización de su transporte y cumplir con compromisos deportivos.

Cuando ocurre un aborto involuntario o la muerte de un bebé, esas tareas recaen sobre el padre que también está sufriendo. Tendrá que reconocer que su esposa es incapaz de llevar a cabo ese tipo de actividad durante un tiempo mientras se recupera. Puede que se sienta mal preparado para asumir esas tareas. Más importante que asumir las tareas, es reconocer que cuando le pregunta a su esposa lo que quiere para la cena, como ejemplo, ella puede ser incapaz de pensar con suficiente claridad para decirle lo que quiere comer. La conmoción, el dolor y la pérdida de él—más que el descuido de su cónyuge—puede obstaculizar su percepción para poder entender que una decisión tan simple como "sopa o sándwich" puede convertirse en un proceso de pensamiento insuperable para ella.

Es de vital importancia saber que cuando se produce estrés por un aborto espontáneo o muerte infantil, el cerebro, de hecho, no funciona de la manera que debe o como lo hacía antes. Ambos padres están incapacitados por un tiempo. Es importante que tanto la madre como el padre tengan expectativas realistas el uno del otro. Durante este tiempo cargado de dolor, lo que era normal y fácil, se hace difícil y dinámicamente complejo. La paciencia y la gracia el uno por el otro son críticos durante los primeros días y semanas después de la pérdida de un bebé.

Después de un Aborto Involuntario

Para la madre y el padre que han experimentado un aborto involuntario, el asalto emocional abarca todo su ser. La pérdida rara vez se discute más allá del círculo inmediato de la familia y los amigos cercanos debido a la intimidad del evento. El aborto espontáneo trae consigo una profunda tristeza, preguntas sobre la causa del aborto y sentimientos de desolación. Los sueños rotos, el corazón roto, el cuerpo roto (de la madre), y el alma herida de los dos padres, con demasiada frecuencia se sufren en silencio.

El Dolor que trae el Síndrome de Muerte Infantil Súbita (SMIS)

El SMIS es una muerte devastadora y misteriosa que ocurre en infantes. Hasta el año de vida (hasta tres años son incluidos en algunos informes estadísticos del SMIS), puede ocurrir una muerte súbita y ser calificada muerte de síndrome. Hay muchas teorías sobre las causas y su prevención. Tu profesional de salud puede haber compartido el punto de vista actual sobre el tema contigo.

Para algunos padres, saber es importante: pero el conocimiento no cambia nada. Un bebé murió. La pérdida es repentina e íntima. Estos dos elementos hacen que el impacto de la muerte sea una pérdida tremendamente preciosa.

De hecho, nunca puedes saber o sentirte satisfecho con la información que aprendes de la investigación o de un profesional. La realidad es que el cuerpo de tu bebé dejó de funcionar como debería. Su pequeño cuerpo compuesto de muchas partes (corazón, cerebro, pulmones, hígado, riñones, y otros órganos, así como vías respiratorias, vasos sanguíneos y marco esquelético), dejaron de trabajar en concierto para sostener la vida. Hay muchísimas cosas en la vida que simplemente no entendemos. El SMIS es una de esas cosas para muchas familias.

Sea cual sea la causa o como ocurrió la muerte de tu hijo, la investigación indica que hay dos reacciones que típicamente experimentan los padres y / o los miembros de la familia. Una es la crisis de la fe; la segunda es la profundización de la fe. Lee acerca del alma herida e identifica tu progreso en el modelo de Dios para el duelo que encontrarás más adelante en este libro. Tú puedes encontrar el contentamiento y de verdad ser feliz nuevamente.

Terminología y Estadísticas

Enfermedad o Anomalía Congénita

La muerte por enfermedad o anomalía congénita es diferente al tipo más desconcertante de muerte infantil como el SMIS y el mortinato. La causa a veces se conoce. Las infecciones o anomalías del corazón, pulmones o riñones le quitan la vida a los niños en cuestión de horas, días, o meses y crean otro tipo de pérdida preciosa. Estas muertes son tan injustas y tan confusas para los padres cuando la causa hace cuestionar a la familia la enfermedad que le quitó la vida o la anormalidad que tenía en su cuerpo. La esperanza de una vida sostenible es siempre un deseo, pero en muchos casos la realidad de la supervivencia es claramente imposible. La muerte infantil debida a la enfermedad, las anomalías congénitas o las complicaciones posteriores al nacimiento también se agruparán con los temas del SMIS.

Muerte Infantil

La muerte de un bebé que estaba vivo al nacer pero que muere poco después está bajo la categoría general de muerte infantil.

Aborto Espontáneo

El aborto espontáneo, también conocido como el aborto involuntario y la pérdida del embarazo, es la muerte natural de un embrión o feto antes de lograr sobrevivir independientemente. Es el término que se usa cuando un embarazo no es viable, incluyendo embarazos ectópicos donde se requiere intervención médica para terminar el embarazo. La investigación informa que el 25 por ciento de los embarazos terminan en aborto involuntario. (Esta asombrosa estadística, especialmente si estás en ese grupo del 25 por ciento, es mucho más que un número para la madre, el padre y la familia de un bebé que no sobrevivió. Este tipo de pérdida es virtualmente una herida silenciosa en el alma).

Los Mortinatos—Muerte Durante o Antes del Nacimiento

La conmoción por la muerte en vez del esperado nacimiento vivo tiene un impacto horrible ya sea que ocurra temprano o tarde. Quizás había una indicación antes del parto que el bebé ya no estaba vivo; o tal vez el proceso del parto tomó la vida del bebé. La dura realidad de la muerte del no nacido atraviesa el alma de los padres.

Se había seleccionado el nombre, los anuncios fueron preparados, se armó la sala cuna y se recibieron lluvias de regalos, lo cual se convierte en esperanzas vacías y en pérdida profunda. Tu precioso niño se perdió para ti.

El mortinato se refiere a la muerte de un bebé en el útero después de las veinte semanas. Antes de las veinte semanas, el término es aborto espontáneo. La muerte precoz ocurre durante el periodo de veinte a veintisiete semanas; la muerte tardía ocurre en el periodo de veintiocho a treinta y seis semanas; y el término muerte fetal o nacidos muertos ocurren en o después del periodo de treinta y siete semanas. El uno por ciento de los nacimientos anuales en los Estados Unidos, o aproximadamente 24,000 nacimientos, son mortinatos. Los mortinatos ocurren diez veces más a menudo que las muertes por el SMIS. La causa exacta de la muerte es muchas veces indeterminada, incluso cuando hay examen médico.

SMIS (Síndrome de Muerte Infantil Súbita) y MSIL (Muerte Súbita Inesperada del Lactante)

El SMIS es una parte de un término compuesto de muertes infantiles que ocurren desde el nacimiento hasta el año de edad. El término MSIL incluye los tres tipos de muertes: el SMIS (45 por ciento), las causas desconocidas de muerte (31 por ciento) y la sofocación o estrangulación accidental (24 por ciento). Aproximadamente 3,500 MSIL se produjeron en 2013 en los Estados Unidos. El SMIS se utilizará como un término universal en este libro para indicar la muerte de un bebé de hasta un año de edad independientemente de la clasificación que se menciona anteriormente.

CAPÍTULO 2

Tu Alma Herida

TAL VEZ SI nos imaginamos la descripción física del alma se parecería al corazón humano. Tendría forma redonda, una superficie lisa y una sustancia parecida al músculo. El alma se describe como la residencia de la esencia del espíritu humano. El alma es la parte espiritual del ser humano, donde reconoce a Dios, la alegría, el entusiasmo por la vida, el contentamiento, y mucho más.

Un día la superficie lisa del alma se lesiona debido a una pérdida significativa. Cuando un padre muere, la herida del alma puede ser un corte largo que expone la parte más interna del órgano. En el caso de la pérdida de un padre, habría un funeral o un servicio conmemorativo anunciado entre amigos, lo cual haría que la muerte sea públicamente reconocida. El alma herida sería fácilmente "visible" a los demás, además habría una esperada expresión social de condolencia por la muerte viniendo de otros. Tales heridas toman tiempo, y se les da tiempo para sanar debido a la severidad de la pérdida.

Un aborto espontáneo es más como una herida punzante en el alma. Tiene un pequeño punto de entrada pero va profundo. El mundo exterior difícilmente notará la herida del aborto. Cuando ocurre un aborto espontáneo, hay poco o ningún reconocimiento público por la pérdida. Para los padres de un bebé abortado involuntariamente, la herida es profundamente dolorosa y lenta en sanar. La atención esperada y el apoyo de otros no están disponibles o están ausentes debido al silencio que envuelve la pérdida.

El SMIS, muerte infantil o nacido muerto crea un corte doloroso en el alma. La conmoción por la muerte crea una herida muy profunda que parece ser visible a los demás. A diferencia de la herida del aborto involuntario que crea un pequeño orificio al momento de la muerte, un niño que muere al nacer o dentro del año después de nacer, crea un corte muy doloroso que parece mortal a los padres. ¿Cómo podrán sobrevivir a este horrible asalto a sus almas?

El viejo dicho "El tiempo cura todas las heridas" es una descripción mala de la realidad de la pérdida y recuperación. La recuperación de una pérdida requiere mucho más que las páginas de un calendario. Cuando se ignora o se aplica un vendaje de "estoy bien", la herida sigue ahí. Puede no verse en la superficie, pero la parte más profunda de la herida todavía existe.

¿Qué aspecto tiene la herida dolorosa en tu alma después de perder a un bebé? Llegar a un acuerdo con la dolorosa herida e imaginar su profundidad y su longitud te ayudará a comprender los sentimientos y comportamientos que estás experimentando.

Antes de pasar a los pasos más concretos de sanidad, otro concepto cristiano para la recuperación del dolor es importante aprender.

Encontrando Esperanza en la Fe Cristiana

Si tú eres cristiano, es probable que estés familiarizado con los primeros cuatro libros del Nuevo Testamento: Mateo, Marcos, Lucas y Juan. Estos hablan de la vida y crucifixión (la muerte) de Jesús, el Hijo de Dios. Dios lloró la muerte de su Hijo crucificado del mismo modo o con el mismo patrón que nosotros lloramos la muerte de nuestros seres queridos.

Los cristianos creen en un Dios trino, que significa Padre, Hijo (Jesús) y Espíritu Santo, que están unidos. La palabra Trino, que significa "tres en uno", puede ser un concepto difícil de entender si este es tu primer encuentro con la fe cristiana. Tal vez una breve descripción de cómo funciona sería útil antes de abordar la muerte de Jesús y el patrón del dolor.

Se puede describir el tres en uno con este ejemplo: Hay tres platos en frente de ti, cada uno con una parte de una manzana. En un plato está la cáscara de la manzana, en otro la pulpa de la manzana y en otro el carozo con las semillas. Si te preguntan "¿Cuál de éstas tres es la manzana?" ¿Cómo responderías? En realidad no se puede responder que es sólo la cáscara o la pulpa o simplemente el carozo. Todos son manzana. La piel sostiene la pulpa bajo una capa protectora; la pulpa envuelve el carozo y las semillas, mientras que la piel sale por los extremos del carozo para cubrir la pulpa. Todos son una parte del todo, pero cada uno es único como componente. Así es como Dios obra. Él es todo tanto como las partes del mismo ser divino de Padre, Hijo, y Espíritu Santo.

Otro ejemplo del trino Dios es mi ejemplo favorito. Pensemos en un hombre, y le llamemos Juan. Juan es el hijo de Elizabeth, esposo de Ruth, y padre a Jacob. Juan es el mismo hombre aunque vive y sirve en papeles individuales. Otra vez entendemos cómo funciona la Trinidad. Dios, Jesús y El Espíritu Santo son uno, pero son individuos particulares para nosotros.

En Juan 1:1-5 leemos: "En el principio ya existía el Verbo [Jesús], y el Verbo estaba con Dios, y el Verbo era Dios. Él estaba con Dios en el principio. Por medio de él todas las cosas fueron creadas; sin él, nada de lo creado llegó a existir. En él estaba la vida, y la vida era la luz de la humanidad. Esta luz resplandece en las tinieblas, y las tinieblas no han podido extinguirla."

Jesús, después de tomar forma humana y vivir una vida en la tierra, dijo muchas veces en la Biblia que él y Dios eran uno, incluso en Juan 10:30, "El Padre [Dios] y yo somos uno."

El amor de Dios por nosotros era tan profundo que permitió que su hijo muriera por los pecados de toda la humanidad. Jesús vivió una vida perfecta y sin pecado. Pero sirvió como sacrificio para salvarnos y redimirnos para que pudiéramos vivir con Dios por la eternidad. Dios lloró la muerte humana de su hijo. Dios entiende cómo se siente el dolor. Después de que Jesús resucitó de la muerte y ascendió al cielo cuarenta días después, el Espíritu Santo, el tercer ser del trino Dios, que se había unido a Jesús en su bautismo, fue enviado por Jesús para ser el Espíritu de consolación y guía para nuestras vidas. Son los tres seres juntos en lo que se llama la Santísima Trinidad. Un Dios de tres partes.

Leemos en Mateo 3:16, "Tan pronto como Jesús fue bautizado, subido del agua. En ese momento se abrió el cielo, y él vio al Espíritu de Dios bajar como una paloma y posarse sobre él."

Un Dios que amó tanto a la humanidad que dio a su Hijo como sacrificio para pagar por los pecados del mundo no es un Dios malo y vengativo. Él es un Dios que desborda de amor incondicional. Él no lleva la cuenta. Él no recuerda tus pecados una vez que los has confesado. Él quiere una relación con nosotros que se basa en nuestra confianza en Él y en su amor tierno por nosotros. Él espera ansiosamente tu compromiso de vivir en la libertad de su amor cada día.

Dios no hizo que tu niño muera. Vivimos hoy en un mundo lleno de enfermedad y fragilidad del hombre. La muerte de tu bebé no es culpa de Dios. La redención que viene del amor de Dios por cada ser humano le permite a Dios ser glorificado. Es a partir del terrible dolor, la pérdida trágica, y de las "heridas" en nuestras vidas que la restauración y el gozo pueden convertirse en contentamiento. De alguna manera, algo bueno puede venir de esa pérdida si tú permites que Dios te ame a través del dolor. Es un misterio divino que ha sido probado una y otra vez por generaciones.

CAPÍTULO 3

El Modelo de Dios
para el Duelo

EL MODELO DE Dios para el duelo surgió de los tres días del fin de semana de la Pascua que celebran los cristianos. Es el patrón de los sentimientos y la experiencia que pasó Dios cuando su hijo Jesús murió. Se aplica a todo tipo de pérdidas. La experiencia del modelo de Dios para el duelo es una presentación a los padres de lo que pueden esperar en el camino a la restauración.

Empecemos con lo que ocurrió ese viernes por la tarde, el día en que murió Jesús. En el libro de Mateo, capítulo 27, versículos 45 y 51, aprendemos que cuando Jesús murió hubo una oscuridad abrumadora sobre toda la tierra y la cortina del templo donde adoraban los judíos se rasgó en dos, y la tierra tembló:

"Desde el mediodía y hasta la media tarde toda la tierra quedó en oscuridad." (Mateo 27:45).

"En ese momento la cortina del santuario del templo se rasgó en dos, de arriba abajo. La tierra tembló y se partieron las rocas." (Mateo 27:51)

Oscuridad

La primera descripción es oscuridad. Esta oscuridad es el término usado por muchos para describir el sentimiento de dolor y luto. Es la tristeza profunda o el período oscuro después de experimentar la pérdida. La oscuridad parece realmente limitar la capacidad de ver el futuro. La nube de desesperación te envuelve y casi te detiene en tu camino. La oscuridad hace que te sientas desorientado, algo así como una tormenta de nieve en la que no puedes ver nada y caminas en círculos o caes en la nieve hasta las rodillas. En realidad esta tormenta blanca se parece más a un apagón total. Esto no es un pozo sin fin, aunque se sienta así. La oscuridad pasará. Toma tiempo. A medida que pasa, recuerda que es una reacción normal al dolor.

Desgarro en la Tela de la Vida

El siguiente parte del modelo es cuando se rompe la cortina del templo. Para ti, significa el desgarro de la tela de tu vida. Los judíos adoraban en un templo enorme y santo en el tiempo de la vida de Jesús. En el templo había varias áreas designadas para usos específicos: un área pública, un área de adoración y un lugar sagrado. Una cortina colgaba entre el área de adoración y el lugar sagrado.

La cortina del templo era de cuatro pulgadas de espesor y de sesenta pies de alto. Sólo una fuerza más allá de nuestra comprensión podría haber rasgado esa cortina de arriba abajo. Es posible sentir el impacto fuerte del desgarro en la tela de tu vida cuando reconoces que el ritmo y las expectativas diarias que tú sostenías ya no están conectadas; ya no estás en un camino sin problemas en tu vida.

Un hilo que estaba entrelazado o entretejido en tu vida se corta cuando muere un adulto que amas. En el caso de un aborto involuntario, un diminuto hilo de color que iba a ser entrelazado en la tela de tu vida es abruptamente cortado. Ese hilo con su color particular y único de tu niño, se corta y nunca más se lo verá en esta vida. Con la ausencia del hilo, en el extremo cortado del hilo explota el dolor en tu vida.

Es importante entender que no es sólo que el hilo fue cortado sino que donde el hilo termina parece haber un agujero en la tela de la vida. El agujero demanda atención para poder sanar. Exige un intento para estabilizar la tela de la vida con el fin de mantener el resto del tejido unido. Como lo hace la costurera, necesitas usar puntadas minúsculas para rodear el agujero para asegurarte que la tela no se deshilache. El agujero en la tela de tu vida, si es desatendido, causará inestabilidad en lo que resta de tu vida. Esos puntos diminutos se llaman "trabajo de duelo". El tiempo y el duelo trabajan juntos para reparar el agujero. El agujero en tu vida siempre estará allí. Pero no necesita ser, ni debería ser la pieza central de tu vida. Dios nos llama a vivir en abundancia. Llora por un tiempo porque este evento te ha cambiado para siempre. Tú puedes tomar la decisión de vivir en contentamiento para que el dolor no se sobreponga a tu futuro.

Terremoto y Rocas Partidas

El tercer aspecto del modelo de Dios es el terremoto (ver Mateo 27:54). El concepto del terremoto demuestra lo perturbador que ha sido la pérdida para ti como padre. Se siente como una convulsión o un sacudón en el fundamento de la experiencia de vida que anticipabas. Lo que era un liso sendero ahora tiene pozos y rocas que han caído en el camino, haciendo que cada paso hacia el futuro sea incierto y casi intransitable. Tu mundo ha sido sacudido. Sentías que estabas en control pero ahora tienes miedo de dar un paso adelante por temor a lo desconocido. Tu camino que una vez era liso ahora es poco fiable por las rocas y cráteres que te rodean.

La oscuridad, el desgarro en la tela de la vida y el terremoto son reacciones normales a la pérdida. Identificarlos como parte del camino hacia la recuperación del dolor te servirá como un puente para vivir con contentamiento otra vez.

El Día de Reposo

Ahora veamos lo que sigue a esos sentimientos iniciales. Hay un día de reposo en el proceso de duelo. La imagen siguiente en el modelo del dolor procede de las órdenes dadas a los centuriones (guardias/soldados) para confirmar que Jesús estaba muerto después de haber sido crucificado (dado muerte en la cruz). La acción que se hacía era atravesar su costado para probar que estaba muerto para poder enterrarlo antes de comenzar el día de reposo. (El sábado es el día de adoración en la semana que todavía observan los de la fe judía.) Cuando los soldados traspasaron a Jesús con su espada (o lanza), se sorprendieron al ver que Jesús ya estaba muerto, tal como leemos en Juan 19:34ª: "…sino que uno de los soldados le abrió el costado con una lanza…"

El día de reposo en el tiempo de Jesús, como hoy, comenzaba a la puesta del sol el viernes y terminaba a la puesta del sol del sábado. Los judíos devotos observan la tradición sabática como lo hacían hace dos mil años. Nada de trabajo, nada de andar en auto, nada de preparación de comida y ninguna actividad social debe hacerse el sábado. El día de reposo es un tiempo de calma para recuperarse de la semana anterior con reverencia y adoración como el punto focal. Cada ser humano que ha experimentado una pérdida profunda necesita este tiempo extendido en silencio para descansar y recuperarse (física, emocional, y espiritualmente). Para ti, no será un día de 24 horas que observaras como día de reposo, sino que serán muchos días, meses y quizás años de recuperación por la pérdida de un ser querido. Necesitarás tiempo para poder reanudar la vida nuevamente con contentamiento y felicidad. Todos los que sufren necesitan descansar y recuperarse mientras procesa la pérdida.

Resurrección a una Nueva Vida

El paso final en el modelo de duelo es la resurrección a una nueva vida. Una vez más, recuerda que has cambiado para siempre por la pérdida de tu hijo. Como Jesús, serás un ser nuevo cuando hayas caminado por el valle de la sombra de la muerte y habrás llegado a un lugar dónde encuentras esperanza y paz. La resurrección o levantarse de la muerte, una prueba más de que Jesús que es el Hijo de Dios, hizo que su semblante cambiara. Había sufrido una terrible muerte. Su cuerpo había permanecido en una tumba durante tres días. Si lo consideramos en términos humanos, Jesús hubiera quedado "deshecho". Pero no fue así. En la vida resucitada, se transformó y algunos decían que de hecho resplandecía. Inicialmente no te describirías como resplandeciente cuando hables de la pérdida de tu niño. Sin embargo, tú puedes moverte hacia una vida que irradia el amor de Dios. Ese resplandor es como ningún otro. ¡Sigue brillando!

Tú puedes reclamar una nueva vida resucitada. ¿Cómo se verá esto y como te sentirás? Cada persona tiene una experiencia diferente. Nuevas perspectivas, nuevas relaciones y nuevos conocimientos se desarrollarán a partir de este evento de tu vida. Un nuevo vocabulario se formará y será utilizado para describir cómo te sientes. El uso de la terminología médica y la revelación de como tú y otros lloran una pérdida tomará forma en tu pensamiento. Tómate el tiempo para revisar tu "nuevo yo". Este cambio no es bueno ni malo, solo diferente. Eres un nuevo ser como resultado de esta pequeña vida que comenzó en el útero y en tu vida.

La Biblia dice que Dios creó los cielos y la tierra en siete días. La muerte y resurrección de Cristo tuvo lugar durante tres días. Te tomará más de tres días para llorar una pérdida significativa. Pero el modelo aún se aplica. Incluso si tú no eres cristiano, este modelo de los eventos presentados el fin de semana de pascua sigue siendo cierto. Tú sentirás la oscuridad. Tú sentirás como la base de tu vida se sacude. Experimentarás un desgarro en la tela de tu vida. Tendrás que observar un período de reposo para recuperarte y, finalmente, podrás avanzar hacia un tiempo de gozo y contentamiento en tu vida.

Toma tiempo para observar y pensar en tu ubicación actual en la experiencia de los tres días. ¿Estás a las 3:02 del viernes por la tarde justo después de la pérdida? ¿O estás en alguna parte del sábado, del día de reposo? ¿Te estás recuperando con las sombras de la tristeza disminuyendo cada día? ¿La tierra se ha vuelto a establecer como un terreno relativamente sólido, y la nueva rutina de vivir la vida te ha dejado sintiéndote algo normal otra vez? ¿O todavía hay vastos cráteres por navegar casi todos los días?

Este modelo se aplica a todos los tipos de pérdidas como se menciona anteriormente (la muerte de un padre, hermano, cónyuge, amigo, y también otras pérdidas como de mascotas, trabajo, o estabilidad financiera). Reflexionar en el modelo te confirma el amor de Dios por ti. Él no te abandonó. No hizo que tu niño muera, sino que está contigo en tu caminar de los tres días de duelo.

CAPÍTULO 4

¿Qué Hacer Ahora?

ALGUNOS PASOS ESPECÍFICOS pueden ayudar a sanar tu alma herida. Pueden traer esperanza y contentamiento al transitar tu camino de duelo. El modelo de Dios para el duelo es una guía del proceso del duelo. En los siguientes capítulos, los pasos y conceptos te serán útiles para recuperarte de un aborto espontáneo o la muerte de tu bebé. Estos pasos pueden suavizar el camino a la recuperación.

Pasos Concretos para Poder Hacer Frente y Recuperarse
1) Cuidado de la salud.
2) Ponerle nombre al bebé.
3) Considerar un funeral o servicio conmemorativo.
4) Anticipar nuevos comportamientos.
5) Anticipar fuertes emociones.

Paso 1 – Cuidado de la Salud.

Para la madre, tu primera tarea es buscar atención médica para ti después de un aborto espontáneo o cualquier otro tipo de muerte de tu niño para garantizar que tu salud física no esté en riesgo. Comprométete a cuidarte bien. Eso significa beber mucha agua, comer una dieta balanceada y mantenerte en una rutina de actividades diarios, lo que incluirá el horario para levantarte y acostarte. Mantener una rutina te ayudará a restablecer la estructura que ha sido y está alterada cuando se ha experimentado una pérdida.

Sigue los consejos de tu profesional médico con respecto a la recuperación de tu salud. Habla de las recomendaciones con *toda* la familia que sabe de la muerte de tu bebé. Entonces, sabiamente determina los mejores pasos para ti en este momento. El apoyo de otros que saben de tu pérdida actuará como un suave bálsamo a tu herida.

Romanos 8:37-39 nos dice: "Sin embargo, en todo esto somos más que vencedores por medio de aquel que nos amó. Pues estoy convencido de que ni la muerte ni la vida, ni los ángeles ni los demonios, ni lo presente ni lo por venir, ni los poderes, ni lo alto ni lo profundo, ni cosa alguna en toda la creación podrá apartarnos del amor que Dios nos ha manifestado en Cristo Jesús nuestro Señor."

Paso 2 –Ponerle Nombre al Bebé.

Pensemos en el siguiente paso concreto para afrontar y recuperarse después de un aborto espontáneo. Nombrar al bebé es esencial porque es una referencia palpable de la pérdida. Quizás si el sexo del bebé no se determinó cuando ocurrió el aborto involuntario, un nombre de tipo no-género-específico puede ser una buena opción. Los nombres pueden ser Ángel, Alexis, Dani, René o Noa como ejemplos. Tal vez un nombre como "Bebé J" en honor al mes en que el bebé hubiera nacido o en honor a una persona especial en tu vida, puede ser elegido. Darías gran consideración a nombres para un bebé que nació a término. Tú puedes honrar al niño con un nombre que signifique algo para ti. Si has experimentado varios abortos involuntarios, nombra a cada niño. Nunca es demasiado tarde para seleccionar un nombre para tu hijo, incluso si tu pérdida ocurrió hace muchos años.

Practica el nombre, repitiéndolo en voz alta: "Bebé J vivió once semanas después de la concepción. Eso fue en 2010". Cuando alguien te pregunta si tú eres madre o cuántos hijos tienes, puedes responder: "Yo soy la madre de tres hijos. Uno vive en el cielo. Su nombre es Juan. Fue nombrado por su abuelo en 2010. Los otros dos niños, Susan y Tomás, están en la escuela primaria y viven una vida alocada y divertida con su mamá (o papá) y yo". Evita decir: "Yo/nosotros hemos experimentado un aborto espontáneo en 2010". La identidad de tu hijo y la capacidad de hablar y decir el nombre te da control. El control es una gran parte para hacer frente a una pérdida de cualquier tipo.

En Isaías 43:1 leemos: "Pero ahora, así dice el Señor, el que te creó, Jacob, el que te formó, Israel: No temas, que yo te he redimido; te he llamado por tu nombre; tú eres mío". Esta promesa es una garantía de que Dios ha llamado a tu pequeño hijo y lo llamó por su nombre.

Para algunos padres, nombrar al bebé hace que la pérdida sea más tangible. Estos padres sienten que nombrar al bebé le agrega un nivel adicional de pérdida. Esta decisión es personal y debe ser honrada. Se debe hacer una consideración cuidadosa en ambos casos.

Paso 3 –Considerar un Funeral o Servicio Conmemorativo

Cuando tú consideras el potencial que tu hijo tenía y revisas el impacto que podría haber tenido, un funeral o servicio conmemorativo es apropiado o digno de consideración.

Con la muerte de tu hijo, se cortó el linaje que hubiera podido seguir por generaciones. Si tu hijo hubiera sobrevivido el parto, la lactancia, la infancia, niñez, pre adolescencia, juventud, adultez con el potencial de ser madre o padre de otros bebés, tu hijo, por pequeño que fuera, habría importado y habría tenido un impacto sobre muchos. No sólo tú, tu pareja y los hermanos del niño que murió, sino los abuelos, primos, tíos y tías habrían conocido a tu hijo. Añadido a esa lista están los futuros compañeros de escuela de tu hijo, compañeros de trabajo y amigos, esta preciosa vida, aunque tan corta, es digna de reconocimiento. Incluso si ha pasado mucho tiempo desde el aborto involuntario o la muerte de tu hijo, todavía puede ser una celebración. Tú estarás más libre para vivir abundantemente, reconociendo a tu niño cuando reconoces su existencia.

Simplemente reunirse en el hogar, en la tumba de un familiar o en un parque o, de hecho, celebrar un servicio en una funeraria o iglesia ayuda a dar significado a la vida de tu bebé. Nunca es demasiado tarde para observar una fecha o tener una ceremonia para un ser querido.

Para dar estructura al evento, puedes incluir la oración, cantar una canción o dos, soltar globos, leer un poema o una carta. Deja tiempo para llorar y tiempo para decir adiós. Todo esto marca, para los que lloran, un digno reconocimiento de que este pequeño ser importaba. Es importante crear tu propia celebración o momento de clausura. Una celebración auténtica y significativa para ti y tu familia es una parada sagrada en el camino hacia la sanidad y una oportunidad para recordar esta vida preciosa. Escribir una carta, encender una vela o sólo decir en voz alta, "Hubiera querido conocerte", abre el camino a la recuperación genuina de la pérdida. Muchas familias recuerdan anualmente esta fecha de celebración.

Pequeños Sorbos

Decir el nombre de mi amado es como miel en mis labios.
Dulces recuerdos que podrían haber sido, pruebo en pequeñitos sorbos.
Tu sonrisa, tu risa se perdieron en mis lágrimas.
Tu presencia terrenal está oculta a mis oídos.
El dolor se aleja, mi alma se sana,
Ven, Espíritu Santo, sé mi esperanza y mi escudo.

Sharon Fox

Paso 4 –Anticipar Nuevos Comportamientos

Espera llorar. El llanto es una liberación purgante del dolor emocional. Las toxinas y los productos químicos en las lágrimas de los que sufren son diferentes a las lágrimas de alguien que llora de dolor físico. Llorar en realidad es bueno para ti. Es apropiado y sabio llorar. Sin embargo, si lloras por más de unos minutos *debes hidratarte* bebiendo agua. El llanto agotará el cerebro de niveles necesarios de hidratación que requiere para funcionar apropiadamente. Las vías neurales no funcionarán con normalidad; por tanto la mente se confunde cuando hay deshidratación. *¡Bebe agua!*

Encontrarás, para tu sorpresa y la sorpresa de otros, que la risa es también una liberación física y emocional del dolor. La risa que se convierte en llanto es normal. Vive el momento que lloras o ríes. Estás aliviando la dolorosa presión en tu alma cuando expresas libremente tus emociones. Reír no es una traición a tu dolor. No te sientas culpable si te ríes.

Anticipa experimentar cambios en tus patrones de alimentación. Tu cuerpo está bajo mucho estrés, tanto física (para las madres) como emocional. Ambos padres pueden encontrar que sus preferencias en la dieta cambian a excesos de "comida reconfortante" que tienen a menudo un valor calórico más alto y un valor nutritivo más bajo. Uno o ambos pueden estar del otro lado comiendo muy poco. Tu mejor defensa es volver a una dieta normal, lo cual te ayudará a reestablecer tu cuerpo para "sentirte normal".

Si te ha sucedido un aborto involuntario o mortinato, anticipa necesitar más descanso. Madre, si tu aborto espontáneo fue acompañado de cirugía (en algunos tipos de embarazos), tu cuerpo se está recuperando de la anestesia y de los medicamentos para controlar el dolor y está luchando por sanar el asalto quirúrgico. Es normal que el cuerpo necesite descanso adicional para recuperarse. Si el aborto espontáneo no implicó intervención médica, tu cuerpo todavía está bajo estrés. Sé paciente y deja que el restablecimiento físico vaya desenvolviéndose a su propio ritmo. Las madres que han experimentado SMIS u otro tipo de muerte infantil también necesitarán descanso adicional. Es parte de la forma cómo se sana el alma herida. El sueño permite al cuerpo gastar energía en los lugares correctos. Descansa. Sanará tu cuerpo y alma.

Los papás, para sorpresa suya, pueden encontrarse agotados también después de que su pareja haya experimentado un aborto espontáneo. Sea que tu hijo haya muerto al nacer, poco después de nacer o antes del nacimiento, la pérdida repentina hará que te agotes con emociones tan volátiles como las de tu cónyuge. La siesta y retirarte para dormir temprano, lo cual puede ser muy raro para ti, comienza a formar el camino de recuperación deseada. Ten en cuenta que tu nivel de estrés y la responsabilidad adicional de cuidar a tu esposa y tal vez a otros niños requieren energía extra. Tu pozo de energía puede vaciarse más rápido que antes. Una siesta no es ser débil. Tú estás cuidándote para que puedas cuidar de otros.

Anticipa experimentar un comportamiento manejado por las hormonas. Como madre, tu cuerpo ha sufrido una "descarga química" que es normal durante el embarazo. Un plan divino para que un bebé se desarrolle y para que tu cuerpo suministre el ambiente necesario para el proceso de gestación (crecimiento) se logra por las hormonas producidas en el cuerpo. Cuando ocurre un aborto involuntario, tu cuerpo se confunde en saber qué hacer con estos componentes químicos. Dependiendo del número de semanas que vivió tu bebé después de la concepción, la oxitocina es soltada. El término sencillo para oxitocina es "el producto químico del mimo". Crea el deseo de contacto físico con un bebé, lo cual es una respuesta maternal instintiva a la necesidad del bebé de comida y confort físico (calor y pañales limpios). Crea la necesidad de acunar y abrazar al bebé, lo que resulta en el desarrollo del cerebro así como ayudar la capacidad de un bebé para reflejar la emoción que se le muestra. Es crítico al desarrollo del bebé, porque la oxitocina en la madre es casi mágica en sus comportamientos resultantes. Sin embargo, cuando el bebé no llega a término o nace muerto o es un niño del SMIS, la presencia de la oxitocina en el cuerpo de la madre todavía crea la necesidad de acunar y abrazar. Después del aborto espontáneo, mortinato o el SMIS/muerte infantil, los sentimientos y los comportamientos se llaman **"Síndrome de Brazos Vacíos"**. Es un deseo químicamente inducido de contacto físico.

El padre desarrolla altos niveles de oxitocina también. La planificación del embarazo y el deseo de tener un bebé eleva los niveles masculinos lo que crea una respuesta normal cuando nace su hijo. El papá quiere acunar y abrazar debido a los niveles elevados de oxitocina.

A veces el comportamiento que resulta por niveles elevados de oxitocina se convierte en la causa principal de comportamientos sexuales más fuertes. La necesidad de acunar, abrazar y expresar amor se transfiere a su pareja. Una vez más, una evaluación cuidadosa del impulso hormonal y comportamientos químicos son importantes. Habla de los deseos fuertes y asegúrate de estar listo para las consecuencias resultantes de tu conducta impulsada por las hormonas.

La falta de conocimiento sobre los cambios químicos y hormonales del cuerpo, tanto para la madre como el padre posterior al aborto involuntario, mortinato, o muerte infantil, puede llevar a ambos padres a lugares donde realmente no querrían ir en ese momento. Este conocimiento puede prevenir un embarazo inesperado o prematuro. Piensa en lo que realmente quieres por ahora y para el futuro.

El **Síndrome de Brazos Vacíos** puede ser experimentado tanto por madres como padres y es reconocido por una sensación de dolor en el brazo. Este sentimiento "vacío" es normal. Estás sintiendo lo mismo que otras madres y padres han sentido cuando han experimentado un aborto espontáneo, mortinato, muerte infantil o pérdida a causa del SMIS. No te alarmes si este anhelo de acurrucar algo se te ocurre no solo en la forma de dolor físico sino también como deseo emocional. Es normal y es como el cuerpo está diseñado para comportarse. Encuentra una manera para gradualmente aliviar el dolor con sustitutos saludables. Los profesionales sugieren un juguete como un conejito, un oso de peluche, una almohada suave en forma de corazón, una colcha o una mascota propensa a largos periodos de contacto humano como útil o saludable objeto para abrazar. (No se recomienda una muñeca.) Muchos padres cuentan que preparan unos minutos cada día durante algunas semanas para sentarse y sostener el objeto. Esta actividad simple libera el estrés que la ausencia de un niño ha creado.

Podrías experimentar "**Sombra de Tristeza**". Justo en el momento cuándo pensabas que estabas mejorando, te sorprende una sobrecarga emocional significativa. Esa sensación se llama episodio de Sombra de Tristeza. Es parte del proceso del duelo y es importante reconocerlo y estar preparado para experimentarlo. No pienses que has retrocedido. La Sombra de Tristeza ocurre a menudo en forma inesperada como alguien que se te acerca por atrás sigilosamente y te echa un balde de emociones calientes. Un olor, recuerdo repentino, ruido de un bebé llorando, una conversación con alguien que habla de un niño, una foto o un sonograma puede desencadenar un episodio de Sombra de Tristeza. Si no estás sola cuando uno de estos episodios te viene, no te avergüences. Sólo dile a los demás: "Dame un minuto. Estoy sufriendo un episodio de Sombra de Tristeza".

Te sorprenderás de ver cuán amable es la gente cuando compartes brevemente un momento sagrado de dolor. Generalmente, ese asalto emocional pasa rápidamente y tu recuperación se alcanza en calma. En algunos casos, la fecha del aniversario del aborto espontáneo o de la muerte del niño será precedida por algunos días de Sombra de Tristeza. Nuevamente, reconoce lo que es y entiende que va a pasar. No te desanimes. Los episodios de Sombra de Tristeza se tornarán menos cargados de emociones con el paso del tiempo. Si el dolor dura más de unos pocos días y te vuelves incapaz de funcionar, busca ayuda profesional.

Anticipa ponderar tus sueños *acerca de* y *para* tu hijo. No compartir los recuerdos o sueños acerca de tu hijo es normal y habitual que los padres lo experimenten. Éstas son esperanzas de salud, infancia feliz y éxito en la adultez. El "que hubiera sido" se fue con el desenlace del embarazo o la muerte de tu hijo y es la zona de impacto de tu pérdida emocional.

Los mojones de fechas anticipadas que habrían marcado eventos claves se convirtieron en marcadores de recuerdos. Pueden causar emociones fuertes o ansiedad aquellas fechas importantes como el primer día de escuela, aprender a conducir o el año de graduación de la escuela secundaria que hubieran podido ser. Éstos se almacenan en la memoria de los padres, no para observar fechas a propósito, sino por la forma en que nosotros, como seres humanos, estamos diseñados. Sin tomar en cuenta cuando murió tu hijo, esos marcadores probablemente traerán tristeza o, cuando mucho, "una interrupción" en o alrededor de esas fechas importantes. No te sorprendas cuando lleguen estas fechas que te encuentres triste o experimentando un periodo de duelo. Este tipo de impacto emocional es *muy* normal. Los mojones de la vida aparecen inesperadamente. Es como Dios nos diseñó—para anticipar y celebrar aun cuando la celebración es solo un recuerdo de lo que pudiera haber sido.

Anticipa preguntas. A medida que te recuperes físicamente, la siguiente fase de la reconciliación de un aborto espontáneo o muerte infantil es tratar con las secuelas emocionales. Algunos lo llaman el Armario de Preguntas. Se puede describir mejor como abrir la puerta a un armario sin una lámpara arriba. Está lleno de perchas vacías. Las perchas representan las muchas preguntas que tienes sobre los detalles de cómo tu niño murió. Deseas colocar prendas de información útiles en las perchas, pero hay muy pocos elementos tangibles para llenar el espacio vacío. Las preguntas incluyen:

- ❑ ¿Por qué yo?

- ❑ ¿Es/Fue mi culpa?

- ❑ ¿Cómo pudo pasar esto?

- ❑ ¿Hay alguien que culpar?

- ❑ ¿Hay algo que culpar?

- ❑ ¿Es esto algún tipo de castigo por algo que yo hice o no hice?

- ❑ ¿Qué debo hacer de manera diferente?

- ❑ ¿Existe un propósito para la muerte de mi hijo?

- ❑ ¿Puedo confiar en Dios?

La lista puede seguir y seguir. Tú puedes estar acostumbrado a profundizar y obtener respuestas a las preguntas más difíciles de la vida. Después de conversaciones con profesionales de la salud, puedes tener algunas respuestas buenas, ninguna respuesta o más preguntas que las que puedas comenzar a organizar en tu mente concerniente a tu aborto involuntario o la muerte de tu hijo. Tú has experimentado una pérdida devastadora que ha tenido un enorme impacto sobre ti y sobre tu familia. Sin embargo, este evento no es, ni debe convertirse en la pieza central de tu vida. Dios promete caminar contigo por el valle de la sombra de la muerte. No debes temer el mal. Dios no dijo que sería fácil (la vida). Él *sí* prometió estar con nosotros.

Digamos que igual que no conocer la causa de la muerte de tu hijo, no lograrás saber hasta llegar al cielo como darle sentido a todo esto. Decide aceptar el hecho de que no sabrás qué pasó, si es ese el caso. El único pensamiento dulce que trae consuelo a muchos es el concepto de que el propósito de la muerte es que tu ser querido esté a las puertas del cielo para recibirte cuando mueras. ¡Qué maravilloso que tu hijo esté de pie junto a Jesús, Dios y El Espíritu Santo para darte la bienvenida al lugar eterno de alegría y luz! Recuerda que un comité de bienvenida se está formando a las puertas del cielo mientras tú lees este libro.

Todos nosotros moriremos. Tu cuerpo se desgastará. Entonces digamos que buscar el propósito de la muerte de tu hijo no es una búsqueda digna de tu tiempo y esfuerzo. En su lugar, busca apreciar la vida larga (o corta) que puedes compartir con otros durante tu vida aquí en la tierra. Algunas personas te han dejado en cuestión de días o semanas, mientras otras han compartido tiempo y relaciones a lo largo de tu vida. Pero el verdadero gozo viene cuando te aferras a la promesa de Dios de que serás consolado por el Espíritu Santo cuando caminas por el dolor. Lo más importante, verás a aquellos que amas de nuevo cuando te encuentres con ellos en el cielo. Estarán totalmente vivos y en plena armonía con el plan divino de Dios.

El Salmo 23 ha sido una fuente de consuelo para muchos:

El Señor es mi pastor, nada me falta;
En verdes pastos me hace descansar.
Junto a tranquilas aguas me conduce;
Me infunde nuevas fuerzas.
Me guía por sendas de justicia por amor a su nombre.
Aun si voy por valles tenebrosos,
No temo peligro alguno porque tú estás a mi lado;
Tu vara de pastor me reconforta.
Dispones ante mí un banquete en presencia de mis enemigos.
Has ungido con perfume mi cabeza;
Has llenado mi copa a rebosar.
La bondad y el amor me seguirán todos los días de mi vida;
Y en la casa del Señor habitaré para siempre. (RVA-2015)

Este Salmo describe la paz y el contentamiento que están disponibles aún en medio de una tormenta tan terrible como la muerte de un niño. El valle pone una sombra sobre él. Esta es tu tristeza. Dios te dirige a descansar primero al lado de las aguas. Luego vas hacia la mesa que Dios te sirve. Tiene tazones de bendiciones y platos de gozo y paz. El banquete te está esperando. Es la provisión de Dios para ti cuando confías que él te sacará de tu dolor. Léelo una y otra vez para que se absorba en tu alma y te traiga contentamiento.

Paso 5 – Anticipa Fuertes Emociones.

La Tristeza

Tristeza

Como si las preguntas no son suficientes para abrumarte, los sentimientos de fracaso, decepción y vergüenza a veces pueden ser sombras implacables que te siguen todo el día y toda la noche. Puedes dar un paso seguro para recobrar el terreno emocional fuerte que deseas. Prepárate para nuevas emociones que pueden afectar tu vida.

La tristeza es absolutamente normal. Funciona como el equilibrio en una balanza que tiene amor por un lado y tristeza por el otro. Si amas profundamente te duele profundamente. No existe una manera de "colarse al frente de la línea" para evitar la tristeza cuando un ser querido muere. Si lo conociste por unos días, semanas o meses a este pequeño milagro de la vida, ya sabes que sientes amor por él o ella. La muerte no es una situación que haya que superar ni un problema a resolver. Es la respuesta natural a la pérdida de una vida preciosa lo que ha terminado. Tu respuesta a este amor es la forma en que Dios te ha hecho a ti y a cada madre y padre que deseaban o se encontraron con un embarazo. Aunque esta situación es muy injusta, acepta tu tristeza. Es normal sufrir emocionalmente. Sentir tristeza, sentir agotamiento por la pérdida y sufrir profundamente es una señal de que tu alma ha sido herida.

Enojo

Tú tienes muchas cosas por la cual estar enojada. Tienes derecho de sentirte frustrada, angustiada, decepcionada y enfadada. La clave otra vez es no permitir que esta ira controle tu vida y envenene, de hecho, las otras partes buenas de tu vida. Encontrar maneras saludables para disipar el enojo y mover la " ira al rojo vivo" fuera del camino es importante. El gozo de tu vida depende de controlar la ira por este evento. No dejes que la ira hierva y te separe de las hermosas cosas de la vida que ya tienes o que te esperan. No merecías que esto sucediera, pero mereces, como hijo de Dios, sentir la alegría y la paz que él promete a todos sus amados hijos. Busca contentamiento. El gozo lo seguirá.

Es posible que no experimentes enojo en absoluto. Tal vez adviertes que la mano de misericordia de Dios estaba trabajando y estás agradecido por su amor y cuidado lo cual salvó tu hijo de un largo recorrido de dolor y lucha. Si ese es el caso, regocíjate en la provisión de Dios.

Como dato para que tú como un padre que ha experimentado la muerte de un niño reflexione, deseo señalar que antes de esta pérdida, probablemente estabas razonablemente feliz con tu vida. Criar a otros niños, tener una relación con tu cónyuge, un trabajo, un lugar seguro para la vida eran cosas que hacían que tu vida fuera satisfactoria. No olvides que esas cosas todavía existen. Eras feliz antes, y puedes ser feliz otra vez con el reconocimiento de poder moverte a través de esta pérdida. El contentamiento es la dulce miel de la vida. Cuenta tus bendiciones.

El Resentimiento

Resentimiento

¿Tienes una novia o un familiar que está embarazada o que ha tenido varios hijos sin experimentar algún aborto espontáneo? Eso parece muy injusto, especialmente cuando parecen dar por sentado que puede embarazarse y lo hace. ¡Lo fácil es sentir resentimiento! Tu lucha puede haber sido embarazarte después de una larga batalla con la infertilidad, un plan cuidadosamente planeado para el primer hijo o el reconocimiento de que estás embarazada de nuevo, pero no puedes cargar al bebé hasta un parto saludable. La realidad no cumplió con tus expectativas.

El resentimiento puede tomar control de tus pensamientos y envenenar tu gozo así como crear sentimientos de hostilidad hacia aquellos que han sido bendecidos con embarazos fáciles. Si encuentras que la interacción con ellos es dolorosa, considera una conversación con los que involuntariamente, o debido a otras circunstancias han causado angustia en tu vida. Hazles saber que es la situación y no ellos que ha creado el estrés en tu relación. Pídeles que sean pacientes contigo mientras tú procesas tu pérdida, y con el tiempo regresas a una relación de amistad que no está cociendo a fuego lento el resentimiento. No sabes hasta qué punto tu confesión abierta y honesta de tus sentimientos hace posible que otros restauren la relación y reconstruya la amistad. Tu compromiso con la expresión auténtica de tus sentimientos permitirá que Dios use este triste acontecimiento para glorificarlo a él en el futuro.

Un dicho muy sabio acerca del resentimiento que se cita a menudo es este: El resentimiento es el veneno que bebo esperando que te mate. El resentimiento no hace nada para cambiar la situación. Simplemente te tira abajo como un ancla, hacia la depresión.

Culparse a Alguien

Echar Culpa

Echar la culpa es como una enorme y pesada losa de piedra. Tú puedes pasarlo por encima o puedes cargarlo, buscando un lugar donde dejarlo. ¡La carga es pesada! A veces tienes un lugar claro en mente dónde colocar la culpa. Entonces, después de colocar la "losa de la culpa" exactamente dónde tú la quieres, comienzas rápido a juntar "tablas de suposiciones" y "ladrillos de descontento" sobre esa losa. Cuando la construcción va bien encaminada, puedes tomar un paso atrás para ver que la "losa de la culpa" y todos los materiales de construcción levantados encima de ella están bloqueando el camino a una vida llena de gozo. Muchos padres han construido elaboradas estructuras de culpa que les ha impedido alegrarse del contentamiento y gozo. Revisa tus planos. ¿Estás en construcción?

Reconoce que tú u otros pueden haber colocado la "losa de la culpa" en tu puerta. Con cuidado, mucho cuidado, ve la culpa por lo que realmente es. Es altamente improbable que la culpa sea tuya a menos que hayas tomado riesgos tales como usar alcohol o drogas o hacerte un aborto, para afectar el embarazo. Sé honesta si este es el caso. Asume la responsabilidad, no la culpa.

Elige aceptar este suceso. Si tú no puedes aceptar la pérdida, tú podrías seguir desdichada por el resto de tu vida. Sería una manera terrible de vivir. No aceptes la infelicidad como tu compañero de por vida. Te separará del apoyo de amigos y familia. Te llevará a un rincón de desconfianza y depresión. La infelicidad no es un amigo. No dejes que se quede mucho tiempo si se asoma y toca el timbre de tu vida. Aceptar las cosas malas y confiar en que Dios está en control te abrirá el camino a la sanidad y el contentamiento.

No dejes de tomar la decisión de aceptar tu historia. ¡Sin echar la culpa! La aceptación es uno de los misterios de la vida. Deja que este evento genere compasión por los demás, ternura para contigo misma, respeto por tu pareja y honestidad en tu vida. Dios es fiel en todas las cosas. Confía en que él puede hacer bien las cosas incluso cuando parece imposible. Estos versículos de la Biblia pueden ayudarte:

"Ahora bien, sabemos que Dios dispone todas las cosas para el bien de quienes lo aman, los que han sido llamados de acuerdo con su propósito" (Romanos 8:28).

"El gran amor del Señor nunca se acaba, y su compasión jamás se agota. Cada mañana se renuevan sus bondades; ¡muy grande es su fidelidad! (Lamentaciones 3:22-23).

La paz que sobrepasa todo entendimiento es saber que Dios te ama y comprende tu pérdida. Su hijo también murió.

Sentirse Culpable

Culpabilidad

Sentir culpabilidad real o identificada va de la mano con echar la culpa, resentimiento y enojo que forman un insalubre bloqueo al gozo. Se hunde profundamente en la mente para empujar la paz fuera de la experiencia de la vida cotidiana. Hace de cada evento, sea menor o mayor, una roca que bloquea el camino al contentamiento. Como culpar, puede ser portado como una carga que drena la energía de la vida. Rodéalo o pásalo por encima en tu andar hacia el contentamiento y la paz. La culpa puede ser y a menudo es imaginado. No le des vida ni realidad. La culpabilidad es el enojo dirigido hacia dentro.

Vergüenza

Hay un dicho, "Con los secretos viene la vergüenza." ¡Un aborto espontáneo no es *nada* de qué avergonzarse! Tampoco la muerte de tu hijo es un evento de vergüenza. Debido a la naturaleza muy privada de la pérdida, un secreto puede haber sido involuntariamente creado. Debido a la brevedad del embarazo o de la vida, y con los problemas físicos resultantes que acompañan la pérdida, el secreto puede haber echado raíces. Tus amigos y los miembros de tu familia pueden no haber sabido del embarazo y así cuando se habla del aborto involuntario o la muerte, están doblemente sorprendidos de lo que sucedió. El temor a revelar un aborto espontáneo o la muerte de tu hijo provoca la necesidad para muchas familias de no hablar de la pérdida. Esto crea una línea fina entre la honestidad, el momento justo y el aislamiento. Tú eliges mantener el aborto espontáneo o la muerte de tu bebé en secreto. Quizás sientes que debes mantenerlo en secreto porque es demasiado doloroso compartirlo. Sin embargo, ten cuidado con los secretos y cómo y quién los guardan. Puede verse como una decepción cuando la verdad finalmente se revele.

A menudo una madre siente que las preguntas que se les formula causan dolor profundo no intencional. Preguntas como "¿En cuánto tiempo intentarás de nuevo?" o "¿Qué hiciste?" o "Siempre puedes quedarte embarazada otra vez, ¿verdad?" apuñalan el corazón y hieren el alma. Prepárate para el daño que pueden causar las palabras. Perdónales a los que te dicen tales cosas. No tienen ni idea de lo dañinos e hirientes que son en tu dolor.

Toma el tiempo para identificar las emociones que parecen ser tus compañeros constantes. La tristeza, la culpa, el enojo, el resentimiento, el desconcierto, la confusión, y tantos otros. Nómbralos. Dilos en voz alta. Déjate oír la voz cuando dices: "¡Realmente estoy _____!" Cuando tú haces eso, tomas la responsabilidad y el control sobre tus emociones. Si puedes ser honesto en identificar y describir lo que sientes, puedes recuperar el control. Éste es un paso más hacia la sanidad.

El recipiente que contiene las emociones tendrá muchas otras más adentro. Este libro sólo incluye algunos de los más comunes. Tu compromiso por identificar tus sentimientos, expresarlos en voz alta y anotarlos para crear un diálogo para procesarlos todos los días aliviará la carga que llevas.

Pregúntate: "¿Cómo me siento hoy?" Si tienes o te aferras a sentimientos más tristes que parecen superar tu ser completamente, busca ayuda profesional. Recuerda, tú no eres el único padre que ha experimentado un aborto espontáneo o la muerte de un bebé. Otros padres han sufrido y se han dolido y luego pasaron a ser felices y estar contentos. Encontrar gozo con tu pareja, tu familia y amigos y desarrollar un interés nuevo o más profundo en las actividades que conforman la vida son pasos concretos para recuperarte del dolor.

Esta pérdida no debe ser la pieza central de tu vida. Vivir cada día con contentamiento es la pieza central de tu vida. Vívela plena y abundantemente, como Dios te pide hacer. La abundancia, en este caso, no es necesariamente tener hijos. Lleva el fruto del Espíritu:

"En cambio, el fruto del Espíritu es amor, alegría, paz, paciencia, amabilidad, bondad, fidelidad, humildad y dominio propio. No hay ley que condene estas cosas" (Gal 5:22-23).

" Esto es lo que pido en oración: que el amor de ustedes abunde cada vez más en conocimiento y en buen juicio, para que disciernan lo que es mejor, y sean puros e irreprochables para el día de Cristo, llenos del fruto de justicia que se produce por medio de Jesucristo, para gloria y alabanza de Dios" (Filipenses 1:9-11).

CAPÍTULO 5

¿Dónde está la Esperanza?

೨

LA ÚNICA COSA acerca de la esperanza es que es eterna. También viene en paquetes inesperados. La mayoría de las veces no es como tú lo has anticipado, sino en burbujas de deleite verdaderamente reales. La esperanza se basa en la expectativa y la gratitud. ¿De qué estás agradecido? Vives en un país donde puedes beber agua limpia, donde la reserva de comida es segura, y donde prevalecen las libertades como la educación básica, la ley y el orden, para nombrar algunos. El apoyo de la familia, los amigos y la iglesia está disponible si tú te atreves a pedirles ayuda. La esperanza viene de Dios que vive dentro de nosotros. Crece como contentamiento y gozo. Aférrate a la esperanza.

Romanos 5:2b-5 nos dice, "Así que nos regocijamos en la esperanza de alcanzar la gloria de Dios. Y no solo en esto, sino también en nuestros sufrimientos, porque sabemos que el sufrimiento produce perseverancia; la perseverancia, entereza de carácter; la entereza de carácter, esperanza. Y esta esperanza no nos defrauda, porque Dios ha derramado su amor en nuestro corazón por el Espíritu Santo que nos ha dado."

Puedes esperar que tu vida se restablezca en una nueva rutina (después del aborto espontáneo o la muerte de tu bebé). Puedes anticipar otro embarazo que traerá el niño que anhelas nutrir y amar. Puedes anticipar la restauración de cualquier relación rota presente o del pasado. Puedes esperar claridad sobre cómo este evento afectó la manera que tu valoras la vida y honras a los que te rodean. Puedes esperar con el paso de tiempo, que la tristeza se aleje y que la aceptación de las circunstancias presentes sea evidente cada día. Puedes esperar que esta pérdida te permita influir en la vida de los demás a través de tu ejemplo como madre que ha perdido a un niño. Tu testimonio acerca de tu caminar en medio de esta pérdida puede traer esperanza a otros que han sufrido un aborto involuntario, el SMIS o muerte infantil, o un mortinato. Honra el conocimiento sagrado de lo que esta pérdida significa para ti. Cuando llegue el momento, comparte tu experiencia y tu reclamo de esperanza con otros padres o familias que han sufrido una pérdida también.

Lo más importante es que tu esperanza se encuentra en el conocimiento de saber que vas a ver a tu niño otra vez. Reclama la promesa de Dios para aquellos que aman al Señor, ellos serán resucitados juntamente para vivir en la presencia de Dios, de Jesús, y del Espíritu Santo por la eternidad.

Planea Estar Contenta de Nuevo

Cruza el puente del contentamiento. En Cambridge, Inglaterra, hay una famosa pasarela de madera llamada el Puente Matemático. Fue construida en 1749 con reproducciones reconstruidas varias veces desde que la estructura fue diseñada por William Etheridge y construida por James Essex. La atracción del puente es que al parecer está arqueado, pero todas las maderas son rectas. Los ángulos e intersecciones de los soportes del diseño crean una estructura independiente que abarca el Río Cam.

Cada tabla y componente juega un papel importante en la resistencia y estabilidad de la estructura. Los cuatro pasos para contentarse—llorar, hablar, pensar y escribir—pueden ser vistos como los elementos claves de la estructura de tu puente, lo cual servirá como paso seguro al "banco del contentamiento". No escribir o pensar en la pérdida debilitará la estructura. De hecho, si alguna pieza falta, puede hacer que tu puente sea tan débil e inestable que pasar por él no es posible. Cada componente necesita la misma atención a fin de construir un camino hacia el nuevo capítulo de tu vida.

Piénsalo de esta manera. Cada una de las cuatro actividades en la estructura de recuperación necesita ser completamente funcional porque en el banco del contentamiento hay una nueva plantación de almácigos. Son etiquetadas felicidad, gozo, paz y confianza. Tú tienes que lograr pasar el río a la vida radiante y el futuro que Dios ya ha planeado para ti. Ponte el delantal de trabajador, carga las herramientas y comienza a construir el puente mientras lloras, hablas, piensas y escribes.

Llorar

Cuando tú lloras, pon la alarma por diez minutos (o alguna otra cantidad de tiempo razonable) y deja que las lágrimas fluyan. Si no terminaste de llorar cuando suena la alarma, levántate y haz algo que requiera tu concentración mental. Entonces, si todavía te sientes triste, lo cual es bien normal, ajusta la alarma de nuevo. Maneja tus lágrimas. No es porque otros no quieren verte llorar, sino porque necesitas el descanso físico del llanto. *Debes beber agua* para garantizar que permaneces hidratada. Recuerda, esas lágrimas tienen elementos químicos diferentes a las que fluyen por una lesión. El llanto es normal. Llorar libera toxinas y en realidad te hará sentir mejor.

Hablar

Habla acerca de cómo te sientes. Di en voz alta las palabras que realmente expresan tus sentimientos, ansiedades y la realidad de tu situación actual. Habla con alguien de confianza que no te juzgará o tratará de manejar tu dolor por ti. Hablar es la descarga de presión que se acumula emocionalmente que daña tu alma. Habla, una oración a la vez, hasta poder decir tres o cuatro frases juntas sobre esta experiencia. Indica cómo te sientes emocional, espiritual y físicamente por tu condición actual. Sácalo todo afuera. Como puntos de conversación, incluye lo que tú ansías para el futuro. Articular el futuro produce una gran fuente de esperanza.

Hay una tremenda sanidad cuando logras contar tu historia. Cuando puedes estar en paz con tu historia, ya no te impedirá vivir como Dios desea que vivas. Una vida que está plenamente agradecida por las bendiciones es una vida llena de paz y gozo. Hablar de lo que estás agradecido puede parecer imposible al principio, pero centrarse en la gratitud va a cambiarte a ti y va a cambiar tus circunstancias – ¡ya verás! Cuenta tus bendiciones todos los días.

Pensar

Piensa de cómo el aborto espontáneo o la muerte de tu hijo ha afectado y afectará tu vida. Pregúntate: *¿Cómo me siento acerca de otro embarazo? ¿Pienso que con el tiempo querré tomar el riesgo nuevamente de otro embarazo sabiendo lo difícil que fue? ¿Cómo me siento con otras mujeres que parecen "tener" bebés sin ningún problema en absoluto? ¿Cómo me sentiría si vuelvo a abortar o mi próximo hijo lleva la misma marca genética que provoca la muerte durante o después del nacimiento? ¿Cómo me sentiré con la crianza de los hijos? ¿Cuento con un esposo que se mantendrá firme si se produce otra pérdida?* Estas son preguntas legítimas que rara vez se hacen, pero con tanta frecuencia se piensan en privado. Escríbelas. Dilas en voz alta, no por temor a que se hagan realidad, sino por un proceso honesto de pensamientos legítimos y que contribuyen a la sensación de pérdida y ansiedad que tú cargas.

El control alivia la ansiedad. La comunicación te ayuda a ganar control. No prolongues la ansiedad evitando la oportunidad de orar y buscar la sanidad divina de Dios mediante la identificación y la comunicación con él acerca de las preocupaciones en tu mente, corazón y alma. Dios puede hacer cosas maravillas con las pérdidas en tu vida. Permítele sanar tu corazón roto y restaurar tu alma herida. Pídele a Dios que te sane.

Piensa en cómo puede utilizar esta experiencia para enriquecer tu futuro y la contribución de tu vida a los demás. Piensa positivamente, incluso cuando te sientas triste. Está *bien* y es *normal* que te sientas triste, pero sigue con la idea de que esperas sentirte mejor pronto. No te rindas. La alegría te está esperando. Una y otra vez, las madres y los padres expresan que la pérdida (el aborto espontáneo, la muerte de su hijo) fue lo más difícil que experimentaron, pero que trajo nueva perspectiva a la vida. El contentamiento y el gozo regresan a los padres que esperan la sanidad como provisión divina de Dios.

Escribir o Llevar un Diario

Escribir puede no ser tu cosa. Aun si tú no escribes más que tu firma, escribe una carta de amor a tu bebé usando letra cursiva. Evita escribir a máquina o con letra de imprenta. El lado (derecho) emocional del cerebro está conectado al lado (izquierdo) lógico del cerebro cuando se escribe en cursiva. El uso de ambos lados del cerebro permitirá que tus emociones y procesos de pensamiento entren en sincronía. Cuando están en sincronía, tú tendrás la capacidad de experimentar la realidad desde una perspectiva tranquila. Es posible que desees escribir sobre tus sentimientos o planes que tenías para la vida del bebé. Comparte al bebé el nombre que has seleccionado. Dile que le echas mucho de menos, aun cuando solo lo conociste durante unos breves días, semanas o meses. Permite que las lágrimas fluyan, que las emociones fluyan y que la angustia fluya sobre el papel. Tú no necesitas compartir con otros este material que escribes a mano. Sólo debes saber que la liberación y el consuelo que te traerá te serán una recompensa.

Un consejo más, se recomienda a menudo que escribir es clave para resolver las pesadillas que te roban el sueño necesario. Si tú te despiertas en medio de la noche o tienes dificultad para dormirte, escribe. A medida que descargues las implacables imágenes que te impiden dormir tranquilo, tu mente será capaz de descargar las emociones no resueltas y el descanso vendrá. Mantén un cuaderno en blanco y una pluma cerca para que cuando tú estés experimentando interrupciones en el sueño, puedes escribir las preocupaciones que sientes. Por lo general, después de varias anotaciones las interrupciones se vuelven menos intrusivas y las pesadillas disminuyen. Si las pesadillas tienen finales inquietantes y te despiertan repentinamente, escribe en tu diario un nuevo final. Escribe un final creativo y tranquilo y feliz donde Dios está presente y es el amoroso Padre celestial que sostiene a tu bebé en sus brazos.

Es posible que quieras crear una caja de recuerdos para tu bebé. Cuando pienses en tu niño, puedes escribir una pequeña nota y ponerla en la caja. Puede contener otros artículos tangibles, quizás artículos del hospital o de la sala cuna que planeaste, además de tus notas de amor. Si tienes otros hijos que sufren por la pérdida, una caja para que ellos llenen viene a ser una manera dulce de honrar al hermano que no conocieron aquí en la tierra o que conocieron por solo un breve momento. Una residencia para recuerdos y pensamientos da a tu alma la oportunidad de sanar un poco más.

CAPÍTULO 6

¿Cómo Llegar a Ser Feliz?

❧

HAZTE UNA LISTA de cosas que te hacen feliz. Enumera al menos diez elementos útiles que puedes elegir cada día que te traigan felicidad. Luego selecciona una o dos cada día para hacerlas intencionalmente. Asegúrate de que tu lista no incluya drogas, comportamientos riesgosos o alcohol. Tal vez tu lista incluirá: un baño de espuma, música, hornear galletas, poner flores frescas o alguna fragancia favorita, un recuerdo de una puesta de sol, mirar fotos o alguna actividad que sea relajante y calme tu alma. Alimentos o sabores como el azúcar, chocolate, canela o vainilla podrían añadirse a la lista. Los amigos, la familia, o pasar el tiempo en un lugar seguro y tranquilo pueden alisar las arrugas de la tristeza. Recuerda "un día para arreglar el cabello" de la mamá o completar una tarea para el papá puede levantar el espíritu de los que lloran. Haz una lista y luego elige algunos puntos para que puedas encontrar "tu" felicidad. ¡Cuídate!

Lista de Felicidad:

1._____

2._____

3._____

4._____

5._____

6._____

7._____

8._____

9._____

10._____

Anticipa ser feliz y estar contenta otra vez. Es el regalo de pascua de Dios para cada uno de sus hijos. La resurrección de la pérdida trae una vida radiante. Dios siempre es fiel para consolar a sus hijos.

El Matrimonio y la Familia

Si tú estás casada, la pérdida de un niño por un aborto espontáneo, el SMIS, la muerte infantil debida a una enfermedad o anormalidad o mortinato pone tu matrimonio en riesgo. El setenta y cinco por ciento de los matrimonios que sufren el SMIS, la muerte fetal o muerte infantil temprana terminan en divorcio. Hay muy poca información estadística sobre cómo los matrimonios se ven afectados cuando se produce un aborto espontáneo. La pérdida a través de un aborto involuntario, sin duda, tiene un impacto negativo en el matrimonio. Es importante para las parejas que han tenido este tipo de pérdida ser muy intencional en nutrir y mantener un matrimonio sólido.

Otros Niños

Si ya hay otros niños en tu familia, ellos sufrirán. No saben lo que es un aborto involuntario de un hermanito menor, pero ciertamente la muerte, como el nacido muerto, el SMIS o la muerte infantil les creará dolor igual a la que están experimentando los adultos que los rodean. Pueden no tener la edad suficiente para entender la palabra *aborto espontáneo,* pero comprenderán que algo sucedió. Pueden no tener las palabras o la intuición adulta para decir "estoy de duelo". Pero su comportamiento mostrará la pérdida que están experimentando.

Pueden buscar encubrir el comportamiento para no agregar a la tristeza de la familia. Pero no se equivoquen, los niños sufren.

Van a reaccionar a la pérdida de una madre y un padre felices. Los niños menores de ocho años a menudo se confunden con los cambios de emoción en el hogar. Mucho llorar, altibajos en las emociones y la ausencia de la madre por citas médicas puede llevarlos a creer que son de alguna manera culpables por la "enfermedad" que ha afectado su mundo. Asegurarles que *no* son culpables de esta tristeza es fundamental para su estabilidad emocional. Déjales saber que su mamá está triste porque un bebé maravilloso no será parte de la familia (en el caso de un aborto involuntario). Los niños entienden la tristeza. Consuelo a través del cariño, mimos y palabras suaves les da confianza en el mundo que los rodea. Deja que el amor irradie en ellos. Si un niño tiene la edad suficiente para amar, es lo suficientemente grande para sufrir.

Los Abuelos

Los abuelos del bebé también sufren dolor. Comparte con ellos algunos consejos de este libro acerca de una caja de recuerdos, de llorar, escribir, hablar, y pensar para que ellos también puedan recuperarse de la pérdida.

Los miembros de la familia pueden estar ansiosos por culpar o tratar de controlar tu reacción a la pérdida. Respira profundamente y establece límites saludables para poder protegerte en tu dolor. Limites saludables significa indicar claramente a los demás qué honras sus ideas, sin embargo, esta experiencia es el peor evento de tu vida, que requerirá tiempo para sanar. Diles que estás experimentando nuevas y fuertes emociones por tu pérdida igual que ellos. Pídeles que filtren sus opiniones a través del amor y tú harás lo mismo.

CAPÍTULO 7

Intimidad después del Aborto Espontáneo, SMIS/Muerte Infantil o Mortinato

LA SIGUIENTE SECCIÓN trata el aspecto más personal del matrimonio—el sexo. Este libro no estaría completo sin abordar el tema del sexo y las diferentes perspectivas que componen la tela del matrimonio. El sexo puede ser un tema muy difícil de hablar. Tiene el potencial de crear o romper vínculos que están basados en la confianza y la ternura. Cuando se hable del sexo, se sincero con tu pareja. Éste es otro paso fundamental en la recuperación que necesita una atención especial.

Varias perspectivas clásicas de hombres y mujeres sobre el sexo se presentan abajo. Tu experiencia puede ser exactamente igual a uno de estos o nada cerca, pero saber que los procesos de pensamiento de los hombres y las mujeres pueden ser diferentes es muy importante. Utiliza estos escenarios como perspectiva cuando hables del sexo con tu pareja.

Masculino:

Escenario #1

Soy Juan. Tengo miedo de hablar y mucho menos de sugerir que tengamos relaciones sexuales. Tengo temor de que ella no esté lista o que se enoje y piense que la pérdida del bebé fue de alguna manera biológicamente mi culpa. Me preocupa que si tenemos sexo ella no lo disfrute como solía hacerlo antes de la pérdida/muerte, o que ella me culpe por haberla dejado embarazada la primera vez. Estoy tan desgarrado, algo impaciente y confundido por las señales mezcladas que estoy recibiendo, y estoy muy frustrado.

Escenario #2

Soy Manuel. Amo a mi esposa profundamente. Creo que para mí la expresión de mi amor por mi esposa es más pura cuando hacemos el amor. Quiero consolarla, complacerla y hacerle saber que la amo mucho. Quiero que sepa que estoy con ella en este tiempo muy difícil físico y emocional. El sexo parece ser lo correcto para compartir lo mucho que nos preocupamos el uno del otro. También siento la pérdida profundamente. Quiero su consuelo también para ayudarme a manejar la pérdida.

Escenario #3 (Específico a la muerte infantil)

Soy Guillermo. Nuestro bebé murió al nacer (o poco después del SMIS). Estoy devastado. Necesito el consuelo de mi esposa que para mí viene solamente con el sexo. Siento que merezco la misma consideración que ella está pidiendo. Las necesidades de mi esposa parecen ser todo ella, no yo. Necesito ser consolado, y tener sexo es una de las maneras para que el sentimiento de amor me sea transmitido.

Escenario #4

Soy Roberto. Mi esposa y yo sufrimos un aborto involuntario. Ambos nos sorprendimos de lo repentino de esta pérdida. Tuve muchos sueños para este bebé. Yo estaba loco por ser papá. Ahora estoy tan asustado que si vuelve a quedar embarazada eso suceda otra vez. Me hace doler el corazón pensarlo. Y eso me lleva de nuevo a cómo este bebé llegó a ser. Tuvimos sexo. ¿Estoy loco porque me siento culpable, triste, enojado, asustado y confundido con lo de nuestra futura familia? ¿Qué hago con el sexo?

Femenino:

Escenario #1

Soy Juana. Amo a mi marido, pero pensar en el sexo me hace llorar. No tengo emociones claras con las lágrimas excepto para decir que mi cuerpo sigue en estado hormonal, mi mente está confundida con pensamientos de desilucion y que esto puede haber sido mi culpa. O a veces siento que me merezco esto de alguna manera. Mi marido parece querer el sexo y en este momento la idea no me parece atractiva. Pensé que sólo tenía que hacerle frente a la pérdida de nuestro bebé, pero ahora me doy cuenta de que tengo que hacerle frente a mi esposo y sus necesidades y tal vez la salud de nuestro matrimonio también. Esto es mucho más complicado de lo que esperaba que fuera.

Escenario #2 (Específico a la muerte infantil/SMIS)

Soy Estefanía. Nuestro bebé murió del SMIS. Nos habíamos adaptado a ser padres. La rutina de los horarios de trabajo y el cuidado del niño estaba funcionando sin problemas. De repente nuestro niño está muerto. Mi esposo está deprimido, creo. Quería tanto un hijo varón. Estoy anhelando, muriendo de ganas de la intimidad que trae el sexo. Él dice que su dolor es como que una parte de él se murió resultando incapaz de ser el esposo que quería ser ahora. Bueno, esa sensación de bajón de energía se aplica a mí también. Hacemos el amor de vez en cuando, pero no satisface mi necesidad de intimidad y cariño. Lo deseo, pero él está tan distante. Pienso que tiene miedo de que me embarace otra vez y que otro bebé también se muera.

Escenario #3

Soy Ana. Mi esposo me ama. Estoy segura de eso, pero ahora el sexo parece ser un área subyacente de estrés entre nosotros. No quiero tener relaciones sexuales ahora mismo. Siento que necesito cariño y mimos, pero tengo miedo de que el sexo resulte en un embarazo nuevo. Si pierdo otro bebé, no sé si pueda aguantar la pérdida emocional ni física en este momento. No creo que tenga la energía aún para hablar de esto con él aunque yo sé que merece al menos abordar el tema. También sé que está sufriendo por este bebé. Estaba tan entusiasmado con Bebé J como yo. Nos necesitamos el uno al otro, pero parece que hay una distancia entre nosotros.

El Escenario #4 (Específico al aborto involuntario)

Soy Elena. Así es como pienso de esto: estoy casada. Mi pareja y yo tuvimos relaciones sexuales, concebí, el embarazo fue confirmado, tuve un aborto espontáneo y ahora mi corazón está roto. Yo sé que si vuelvo hacia atrás, esta angustia comenzó con el sexo. También sé que es algo ilógico pensar que para evitar el dolor en el futuro, debo dejar de tener sexo. No sé si quiero tener relaciones sexuales o si le tengo miedo al sexo, o si puedo procesar o separar la conexión entre el sexo y el dolor del aborto involuntario. Sé que los abortos espontáneos a veces no son acontecimientos singulares. Cuando vuelva a quedar embarazada, no hay garantías de que un aborto involuntario no ocurra nuevamente. Existe documentación de que algunas mujeres tienen tres, cuatro, o más abortos involuntarios durante sus primeros años de procreación. ¿Podré enfrentar eso? Necesito resolver esto.

Escenario #5 (Específico al aborto involuntario)

Soy Patricia. Estoy recién casada. El momento para tener un bebé no era realmente ideal, sin embargo, estábamos emocionados de tener un bebé tan pronto en nuestro matrimonio. Una amiga piensa que nos salvamos de una cuando ocurrió el aborto espontáneo porque habíamos planeado pasar unos años como "sólo los dos" antes de comenzar una familia. El sexo ha sido un elemento fundamental de nuestra relación. Ahora siento como que es un riesgo cada vez que tenemos relaciones sexuales. ¿Fue el aborto involuntario una bendición o el fin del matrimonio? Tengo el corazón destrozado por todo esto. ¡Qué extraño tener emociones tan mezcladas!

Reflexión

Tus pensamientos y los pensamientos de tu pareja no son malos si no están de acuerdo. Son diferentes. Tómate el tiempo para respetar los sentimientos de los demás sin juzgar.

Incluso cuando tienes el nivel más bajo de energía y determinación en tu pozo emocional, reúne el coraje para hablar del sexo y cualquier otro tema que esté causando fricción en tu relación. Las finanzas, las relaciones familiares, y las expectativas el uno del otro son algunos de los temas que pueden crear preocupación matrimonial perjudiciales. Tu matrimonio, la tranquilidad, el futuro para los dos, el futuro de tus otros hijos (si hubiera hermanitos de este bebé), exigen honestidad. El compromiso de mantener los temas abiertos para una charla franca y amena puede crear intereses comunes, sin importar cuál sea la disputa. La paciencia y el amor prosperarán si permites que sean traídos con franqueza a una charla. Dios tiene un toldo de amor que puede cubrir todas las heridas.

CAPÍTULO 8

¿Qué Decirle a Alguien que está de Duelo?

ESTE LIBRO PLANTEA la oportunidad de compartir tus experiencias con otros que también han experimentado una pérdida como la tuya. Por cierto habrá situaciones donde la pérdida no será igual a la tuya, pero comprenderás la carga emocional que llevan los demás. Si tú te encuentras en una situación donde se necesita expresar condolencias, esto es lo que puedes decir.

1. Di el nombre de la persona. (El nombre crea un vínculo entre tú y el enlutado. Si no sabes su nombre, di tu nombre en su lugar.)
2. Indica los datos de la pérdida. En una sola frase, manifiesta que entiendes la pérdida (la muerte de un niño, esposo, padre, o aborto espontáneo o divorcio, etc.)
3. Dile que sinceramente lamentas su pérdida.
4. Dile que orarás por ella/el.

Entonces no digas más.

La conversación podría seguir así:

"José, entiendo que tu madre, Juana, murió (después de una cirugía). Lo siento mucho. Quiero que sepas que voy a estar orando por ti y por tu familia."

O

"Ana, supe que tuviste un aborto involuntario hace poco. Siento mucho tu pérdida. Estaré orando por ti."

O

"Miguel y Sara, me dijeron que su hijo Jason murió (después de una batalla con el cáncer). Siento mucho su pérdida. Estaré orando por los dos."

Estas cuatro cosas (el nombre, la fecha de la pérdida, la expresión sincera de tristeza por la pérdida y la oración) expresan tu compasión a la vez que respetas la privacidad de los que están de luto.

Si pasa en los primeros días o las primeras semanas después de la pérdida, es posible que sean incapaces de responder con más de una o dos palabra. No los cargues haciendo preguntas en ese momento o averiguándoles más información sobre la muerte. En unas semanas, llámalos o ponte en contacto con ellos y pregúntales cómo se van sintiendo. Invítalos a conversar haciendo preguntas abiertas como "Díganme," o "Explícame," o "Ayúdenme a comprender cómo..." Si les preguntas "¿Están ustedes bien? es probable que mientan y te digan, "Estamos bien" cuando en realidad no lo están.

Nunca digas, "Dios quería otro ángel" o "Ya era su tiempo" ni "Tu ser amado está en un lugar mejor". Esa clase de expresiones suelen infligir más heridas en el alma, causando enojo y un sentido más profundo de la pérdida.

Hablar menos es más cuando se expresa condolencia.

CAPÍTULO 9

Aferrándote a la Esperanza

JEREMÍAS 29:11-14 NOS dice, "Porque yo sé muy bien los planes que tengo para ustedes —afirma el Señor—, planes de bienestar y no de calamidad, a fin de darles un futuro y una esperanza. Entonces ustedes me invocarán, y vendrán a suplicarme, y yo los escucharé. Me buscarán y me encontrarán cuando me busquen de todo corazón. Me dejaré encontrar —afirma el Señor—, y los haré volver del cautiverio. Yo los reuniré de todas las naciones y de todos los lugares adonde los haya dispersado, y los haré volver al lugar del cual los deporté, afirma el Señor."

Cosas malas e inesperadas sucede a la gente. Enfermedades llegan, trabajos se van, accidentes ocurren, familias se separan, bebés pequeños abortan o mueren durante o poco después del nacimiento. No hay vida perfecta libre de desilusión y dolor. Tú y tu familia han experimentado una pérdida sin igual y significativa. La esperanza y un futuro los espera, por muy oculto que parezca hoy.

El pasaje del Sermón del Monte, encontrado en Mateo 5:4, promete, "Dichosos los que lloran, porque serán consolados" y te recuerda que se te dio una promesa clara de consuelo en el momento que lo busques. Tendrás esperanza y un futuro lleno del amor de Dios para ti y para tu bebé. El dulce consuelo viene porque Dios se duele contigo por la muerte de tu hijo aquí en la tierra, pero él también celebra la llegada de tu hijo para vivir por la eternidad en el cielo con él. Tu niño vive libre de angustia, libre de rodillas peladas y de picaduras de insectos estando en presencia del Padre celestial y su Hijo Jesucristo.

Algún día harás una pausa, quizás por un momento para pensar en el paisaje de tu alma. Notarás los lugares donde tienes moretones profundos y marcas que han sanado. Las cicatrices grandes y pequeñas seguirán siendo visibles. Ya no serán dolorosas ni sensibles al toque de los recuerdos. Cuando recuerdes lo que pasó, podrás hablar sin ese dolor fresco y cargado de emociones. Esas cicatrices son recordatorios de tu vida y de los eventos que comprenden la experiencia de tu vida. Será evidente la notable sanidad de Dios debido al consuelo amoroso de él. Verás una pequeña cicatriz cerca del centro que te recuerda que una pérdida muy especial ocurrió allí, por un aborto espontáneo o muerte de tu hijo. Cuando recuerdes ese evento, recuerda también este verso de la Biblia: "Confía en el Señor de todo corazón, y no en tu propia inteligencia. Reconócelo en todos tus caminos, y él allanará tus sendas." (Proverbios 3:5-6).

Tú has recorrido un camino único. Tras la reflexión, puedes ver claramente la provisión de Dios y su guía amorosa en esos días muy oscuros cuando nada tenía sentido. Ahora, de alguna manera puedes ver que la pérdida te hizo más compasiva y más consciente del amor y de la ternura de Dios, y eso te ha convertido en la persona que eres hoy. ¡Tú eres hija de Dios y él te ama tanto!

Sigue adelante. Dios te tiene de la mano.

CAPÍTULO 10

La Cama

❧

PARA LOS PADRES de un niño abortado espontáneamente, un bebé nacido muerto, una muerte por el SMIS o cualquier otra forma de muerte infantil, la pérdida y el dolor son profundos. No es que estos padres y familias sean de alguna manera más necesitados. Estas familias experimentaron la pérdida repentina e íntima de su hijo, lo cual es complejo y conlleva un profundo dolor. No solo murió su hijo, sino que también murió el sueño de lo que su hijo hubiera llegado a ser. No hay un banco de recuerdos en donde ponderar. El impacto en la mente y el cuerpo hace que el alma grite: "¡Esto es tan injusto! ¡Esto está muy mal!" Un niño ha muerto sin tener la oportunidad de vivir.

"La muerte es la muerte" es una opinión muchas veces expresada donde iguala a toda muerte y pérdida. La frase parece medir con un talle de compasión y comprensión a todos por igual. Para aquellos que han perdido a un padre en su ancianidad, la muerte está dentro de lo que se llama el "ritmo de la vida". Cuando muere un niño, el ritmo de vida es revertido de manera espantosa. Los padres no esperan sufrir la muerte de su hijo.

Quizás esta historia puede ilustrar el camino de la pérdida.

Es el peor día de tu vida. Hoy murió tu hijo. Todavía estás en shock y no entiendes lo que ha sucedido. Estás muy cansada por el estrés físico y emocional que produce la muerte. Lo que anhelas es dormir bien una noche para que mañana mejoren las cosas y quizás te sientas normal.

Te encuentras caminando con un grupo pequeño de personas que también han sufrido hoy la muerte de alguien amado. Todos van hacia una puerta al final de un pasillo que está marcado, Entrada al Resto de tu Vida. Lo que buscas es tu cama segura y confortable, la que conoces tan bien. Tiene un colchón, la cantidad exacta de mantas cómodas y almohadas que garantizarán dormir toda la noche y quedar restaurada mañana. Al mirar el cuarto esperas ver tu cama y te sorprendes ver que nada es igual. Ves muchas clases de camas ya ocupadas con personas durmiendo y unas cuantas vacías de diferentes tamaños. Tu cama no está. Las cosas no están más como eran antes.

Ves un portapapeles colgado al lado de la puerta con la siguiente nota. "Tu cama ha sido quitada. Fue llevada a un demoledor y quedó totalmente destruida y fue echada en el basural. Nunca más verás ni experimentarás el sueño en esa cama. Aquí está tu nueva cama asignada."

"Cada persona debe entrar al cuarto, subir a su cama nueva y dormirse antes de que pueda entrar la siguiente," sigue diciendo.

La primera persona en tu grupo había sufrido la muerte de su padre. Tiene una cama nueva porque el lugar cómodo donde solía dormir ya no está. Tiene una cama muy similar a su vieja cama. Tiene casi la misma cantidad de almohadas y colchas que tenía antes. "Diferente por cierto, pero de muchas maneras igual," te explica. Se sube a su cama, se tapa y después de unos minutos se duerme.

La segunda persona es asignada una cama de una plaza. Su esposo había muerto unas horas antes. Esta cama es mucho más angosta que la que tenía antes, te cuenta. La colcha en su cama es gruesa y pesada y casi imposible de levantar y meterse debajo. Falta la almohada y pronto ella también se duerme.

Tú sigues. Te asignan una cama que puede describirse mejor como un catre de campaña. Tiene dos marcos en forma de equis pegado a dos varas largas de madera que corren a lo largo de la cama. Un pedazo de lona áspera se estira sobre las cuatro esquinas. No tiene colchón, ni colchas, ni sábanas, ni almohada en tu catre. ¡Y esperan que descanses para recuperarte de este evento horroroso en un "catre de campaña"!

Cuando te sientas con cuidado en la orilla del catre, te preguntas dónde está el colchón, las colchas, almohadas y sábanas como tienen las otras personas en sus camas. ¿Dónde están tus cosas? ¿Cómo puedes descansar en esta plataforma dura y sin algo para taparte? ¿Cómo puedes dar sentido a la variedad de camas y artículos de confort que tienen algunos y otros como tú, no? Cierras tus ojos para dejar fuera el dolor cegador de la muerte de tu hijo. Tratas de relajarte respirando profundamente.

Con cada respiración te das cuenta lentamente que tiene significado el lugar extraño para dormir en dónde estás. El colchón representa la seguridad que viene de la expectativa de una vida normal. Las cosas que normalmente anticipas y que son seguras en la vida son la base de un sueño reparador. La colcha representa los recuerdos del ser amado. Para una persona que ha sufrido la muerte de un padre o de su pareja, las mantas son gruesas y pesadas por los años que pasaron juntos creando esos recuerdos. La almohada es el apoyo de la familia y amigos, lo cual protege la cabeza y está llena de expresiones de cuidado. La sábana es un amortiguador que se extiende suavemente para darte protección de las cosas malas de la vida. No tienes ninguna de estas cosas en este momento. Tu niño murió. No hay recuerdos. Hay poco o nada de apoyo de otros, ya que ellos ni sabían que estabas embarazada (en caso de que tu pérdida fue un aborto involuntario). Tu familia puede no haber conocido a tu hijo (en el caso de un nacido muerto, del SMIS, u otra forma de muerte infantil). Tu niño murió demasiado pronto para haber podido crear lazos emocionales con la familia y amigos o para tener un pozo de recuerdos significativo donde visitar en medio de esta pérdida. Sola, sin amortiguación de la severidad de esta pérdida, tu pequeño catre está sin ninguna superficie confortable. Por ahora sientes que así será siempre tu nueva cama dolorosa.

Las otras personas que estaban en el cuarto y en cama y que pensabas dormían cuando llegaste, te susurran en la noche, "Puedes recuperar la paz. Es posible sentir el amor divino de Dios en medio de esta pérdida. Puedes pedirle a la única verdadera Fuente de consuelo y contentamiento. Puedes sobrevivir está pérdida. Con la provisión de Dios, puedes volver a ser feliz."

Pero por un tiempo piensas mientras te agitas en la cama, que esos susurros están vacíos. Crees que vas a tener que sobrevivir en esta cama dura de pérdida por el resto de tu vida, a menos que… ¿Qué fue eso de la única verdadera Fuente de consuelo y contentamiento? ¿Puedo pedirle a Dios por medio del Espíritu Santo que alivie mi dolor? ¿Puedo pedirle que transforme mi cama en un lugar de confort y descanso para mí? Necesito la base segura de su fidelidad debajo de mí. Necesito una colcha de paz, una almohada de esperanza y una sábana de contentamiento para cubrirme del dolor que siento ahora. ¿Puedo conseguir todo esto?

La respuesta de "Si" arde en tu mente.

Puedo recibir la gracia y el contentamiento que fluyen de Dios para mi alma herida. Puedo resucitar a la paz, la felicidad y el gozo. ¿Pero cómo sucede eso? Necesito *pedir*: "Pidan, y se les dará; busquen, y encontrarán; llamen, y se les abrirá. Porque todo el que pide, recibe; el que busca, encuentra; y al que llama, se le abre" (Mateo 7:7-8).

¿Y qué de esas personas en un extremo del cuarto todavía durmiendo en catres sin colchas? La mayoría de ellos parecen haber estado allí por bastante tiempo y todavía no tienen colcha ni almohada. ¿Dejaron de buscar y pedir a Dios que levante su carga de dolor y pérdida? Quizás no quieren pedir a Dios provisión y sanidad del alma ni amor que regenera la vida porque creen que la muerte de un niño es una sentencia de tristeza.

Comienzas a pensar claramente por primera vez desde que murió tu niño. "No quiero quedarme así y ser como ellos," te dices a ti misma. "Se ven arruinados, desolados y fríos." Pero tú quieres el confort que viene por la fe en Dios.

Decides pedir al Señor un acolchado suave y cálido, no hecho con hilo terrenal sino tejido de esperanza con la paz, y armada con contentamiento. Quieres que ese acolchado sea reforzado en los bordes con ternura y misericordia. Anhelas envolverte en el manto grueso de amor que te provee el Espíritu Santo, el divino Consolador. Reclamas la promesa de Dios de abrazarte cerca, sabiendo que a él le importa tu dolor y pérdida. Le pides a Dios que vuelva a armar tu cama con ropaje nuevo de su hechura. Y sabes y confías que su amor estará contigo durante la larga noche de la recuperación del dolor.

Mira, allí, todo lo que necesitas está doblado y esperándote.

Pero ahora, así dice el Señor,
El que te creó, Jacob,
El que te formó, Israel:
No temas, que yo te he redimido;
Te he llamado por tu nombre;
Tú eres mío.
Cuando cruces las aguas, yo estaré contigo;
Cuando cruces los ríos, no te cubrirán sus aguas;
Cuando camines por el fuego, no te quemarás ni te abrasarán las llamas.
Yo soy el Señor, tu Dios, el Santo de Israel, tu Salvador. (Isaías 43:1-3a)

Descansa en el consuelo del Salvador

Acerca de la Autora

❧

SHARON FOX HA estado activa en el Ministerio Cristiano Recuperación del Duelo por casi veinte años. Ella es cofundadora del grupo sin fines de lucro Brave Penny, el cual sirve a los que han sufrido la pérdida no tradicional de un bebé que también incluye la elección de dar un niño en adopción a otra familia, el aborto espontáneo, el SMIS/muerte infantil y mortinato. Sharon es la autora de *Replanteando la Adopción* publicada en 2014 (*Reframing Adoption* en inglés), dedicado a la recuperación del duelo de los padres biológicos. Los padres biológicos hacen la decisión valiente de elegir vida para su hijo evitando el aborto, y también cuando posible, dan su niño en adopción abierta a otra familia. El dolor por elegir la adopción de un hijo históricamente ha causado vergüenza y condenación, postura que se origina en nuestra cultura. *Replanteando la Adopción* da una nueva mirada al reconocimiento de la familia biológica y comparte muchos de los mismos conceptos sobre la recuperación del duelo.

Sharon es Facilitadora Certificada del Duelo, escritora, maestra y oradora. Ella y su esposo, Jim, viven en Frisco, Texas.

Sharon@BravePenny.com
www.BravePenny.com

Acerca de la Entidad Sin Fines de Lucro Brave Penny

Brave Penny apoya, a través de la educación y publicaciones, a padres y madres biológicos y sus familias que han escogido dar en adopción a su hijo, padres que han sufrido un aborto involuntario, padres que luchan con la infertilidad, padres que sufrieron el SMIS o mortinato y padres que han sufrido la muerte de un hijo adulto.

Visita la página web para obtener otros artículos sobre la recuperación del duelo.

Tus contribuciones a la entidad sin fines de lucro permiten que Brave Penny provea libros a centros del embarazo y a madres o familias que buscan una presentación sobre el recorrido a la recuperación del duelo basada en el cristianismo.

Información para Contactarse

Para ordenar copias adicionales de este libro, por favor visite
www.redemption-press.com
También disponible en Amazon.com y BarnesandNoble.com
O llamando sin cargo al 1-844-2REDEEM.

9 781683 144816